JN238982

ジョジョ
の奇妙な冒険
で
英語
を学ぶッ！

CONTENTS

第 1 章
名シーンで英語を学ぶッ!
03

第 2 章
ジョジョ的感情表現で英語を学ぶッ!
51

第 3 章
キメゼリフで英語を学ぶッ!
71

第 4 章
敵の名ゼリフで英語を学ぶッ!
105

COLUMN
英訳コミックを楽しむッ!
50・70

ブックデザイン
堀井菜々子　黒川智美
(GENI A LOIDE)

企画・編集
得能久子

協力
山口歌織　木村 亮太郎　竹内友宏
住吉隆治　辻崇宏　山下絵梨香

※本文は、「ジャンプ・コミックス」版を底本としておりますが、一部表記を変えております。

はじめに

マーティ・フリードマン

この本の監修する時に、僕っぽい英語を意識しました。でも、僕の生活の中には JOJO みたいな冒険的な生活は少ないですから、それを僕っぽい英語に監修するのは、難しかったけど、すごく楽しくて、いろいろ変なところをこだわっちゃいました。もし、僕が JOJO の立場だったら、どういう風にそれを言うか、深く考えているうちに、僕も英語的にエキサイティングな人になっちゃいました。そんなエキサイティングなフレーズがいっぱい出てくるこの本、是非楽しみに読んでみて下さい。

北浦尚彦

繰り返し「読む」だけで……残念ながらこれではこの本のセリフは身につかない。マーティのフレンドリーなメッセージからいきなり何を、と思うかもしれないが、多くのジョジョファンの期待に反して（？）本書は超硬派な英語学習書だ。もちろん読むことで、知識として蓄えることは可能だ。問題は実際にその覚えたセリフを口にする場面が到来したとき、それを「パッ」と口から出せるかどうか、だ。これこそ「話す」において求められる能力であり、そのためには日頃から「声を出す」訓練を行う必要がある。ジョジョが「波紋」を体、つまり筋肉運動によってマスターしたのと同じように、声を出す、つまり体の一部である口・のど・舌などの筋肉を動かして発声を鍛える、ということだ。英会話習得において音読が効果的とされるのは、それが「声を出す」「口を動かす」ことであることにほかならない。同じセリフの音読を何度も繰り返すことで次第にコマ絵をさっと見ただけで、今度は英文を「暗唱」できるようになるはずだ。そうなってくれば自分の発音が「ジョジョ」に流暢になってきていることに気づくだろう。たとえば I am going to ～ と書かれたセリフを I'm gonna ～ のように発音するようになる、関係代名詞の that を無意識のうちに省略して言うようになる、など。そのレベルまで達すればゴールはもうすぐだ。ぜひ、「しっかり声を出して」を「何度も」練習してほしい。そしてジョジョ・ワールドの黄金の名言たちを君たちの口で、しっかりリアル・ワールドに広げるのだァ――ッ!!

第1章
名シーンで英語を学ぶッ!

ここでは、
『ジョジョの奇妙な冒険』
第1部～第4部より、セレクトした
22の名シーンを使い、
日本語と英語の対訳で英語を学ぶッ!
はずせない英文法解説付き。

SCENE 1

日本語

ジョナサン：君はディオ・ブランドーだね？
ディオ：そういう君はジョナサン・ジョースター
ジョナサン：みんなジョジョって呼んでるよ……
　　　　　これからよろしく
ダニー：ハッハッハッハッハッ
ジョナサン：ダニーッ
　　　　　紹介するよ　ダニーってんだ！
　　　　　ぼくの愛犬でね　利巧な猟犬なんだ
　　　　　心配ないよ！　決して人は噛まないから
　　　　　すぐ仲よしになれるさッ
ディオ：ふん！
ジョナサン：なっ！
　　　　　何をするんだァ————ッ
　　　　　ゆるさんッ！

文法解説

👉 よろしくッ！
Good to see you.

英語に「よろしくお願いします」という遜った発想はない。「はじめまして」の **(It is) Nice to meet you** は定番だが他の表現もTPOに合わせて使い分けよう。

It is a pleasure to meet you.（ビジネスシーンなど）
(It is) Nice to meet you over the phone.（電話越しの「初対面」）

(JC1巻)

陽と陰を分かつ運命の出会い！

英語

Jonathan : So you must be Dio Brando.
Dio : And you must be Jonathan Joestar.
Jonathan : My friends call me JOJO.
（It's）Good to see you.
Danny : Huff, huff, huff…
Jonathan : Danny!
Meet my friend, Danny.
He's a smart hound dog.
Don't worry, he won't bite.
I'm sure you guys will soon be friends.
Dio : Hmph!
Jonathan : What!
What do you think you're doing?!
How dare you!

単語・熟語

hound dog：猟犬
won't：will notの短縮形
be friends：友達になる
How dare you!：
　なんてことを
　（するんだ・言うんだ）！

リスニング力アップのポイント　音の連結・変音・消音
What do you think you're doing?!

とっさの驚き・怒りのひと言なのでひと息で言えるようにしたいセリフだ。音読練習を繰り返すことで基礎発音と違った発音をするようになれば似た発音をするネイティブ対応のリスニング力もアップする。

連結　アポストロフィで文字化できるものもある。（you are → you're）
変音　上記に連動するが、くっつくことで発音が変わる。（ユー・アール → ユール）
消音　tやgなどで終わる単語の語尾は消音されることが多い。（What！→ ワッ！/ doing → doin'）

SCENE 2

日本語

ディオ：ジョジョ…人間ってのは能力に限界があるなあ
おれが短い人生で学んだことは…………
人間は策を弄すれば弄するほど予期せぬ事態で策がくずれさるってことだ！
………………
人間を超えるものにならねばな……

ジョナサン：なんのことだ？
なにを言っているッ！

ディオ：おれは人間をやめるぞ！
ジョジョ——ッ!!
おれは人間を超越するッ！
ジョジョ おまえの血でだァーッ!!

文法解説

☞ There + be 〜「〜がいる・ある」
There's a limit to what a human can do.

英文における主語は I / She など人、my book / plan などモノ・事ばかりではない。There を主語にして続く動詞 be との組み合わせで「〜がいる・ある」となり、ここでの There に具体的場所としての「そこ」の意味はない。ディオのセリフの場合、Human ability has a limit（限界を「有する (have)」）とも言い換えられるが、より自然な表現が There + be であり、人・モノ・事を主語にするよりも簡単に作文できることもある。

例：「昨夜地震があった」
○ There was an earthquake last night.
△ An earthquake occurred last night.

主語を「地震」にすることで動詞の難易度がアップする例。There + be は知識不足を補う「楽シテ身につく方法」のひとつだ！

(JC2巻)

ディオ、人を超える瞬間！

英語

Dio : JOJO, You know there's a limit to what a human can do.
What I learned from my short life experience is that without luck on your side, you got nothing.
You gotta go beyond humanity.

Jonathan : What's that all about?
What are you trying to say?

Dio : I'm done with mankind, JOJO!
I'll rise above humanity!
JOJO, with your blood!

単語・熟語

go beyond/rise above：～の上をいく
humanity：人間性
be done with：～を終える・済ませる
human (being)/mankind：人間・人類

☞ You gotta (=have got to=have to) 「～しなければならない」

You gotta go beyond humanity.

have to（～しなくてはいけない）の口語表現（米語）**have got to**、その短縮発音を文字化したのが **have gotta** で **have** は会話発音では省略されることもある。組み合わせる動詞はさまざまだが **gotta be (=have got to be)** は特によく使う。この be との組み合わせには二つの意味があり、ひとつはさらに形容詞と組み合わせて「～でなくてはいけない」、もうひとつは「場所」を示す言葉との組み合わせで「～にいなくてはいけない」（意訳では「～に行かなくてはいけない」）。

be + 形容詞のパターン
You ('ve) gotta be careful.「気をつけなきゃダメだよ」
You have to be strong.「強くなくてはいけない」

be + 場所のパターン
I've got to be there by noon.「昼までに行かなくちゃ＝そこにいなくては」
I have to be at my house today.「今日はずっと家にいなくては」

gotta という発音は本来上級者が使うもの。まずは **have (got) to** をしっかり言えるようにしよう。尚、否定文の場合は **have got to / gotta** は使えず、**don't have to** のみとなる。

SCENE 3

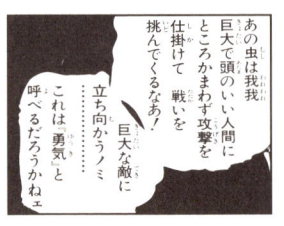

日本語

ツェペリ： ノミっているよなあ……………
ちっぽけな虫けらのノミじゃよ！
あの虫は我我巨大で頭のいい人間に
ところかまわず攻撃を仕掛けて
戦いを挑んでくるなあ！
巨大な敵に立ち向かうノミ………………
これは『勇気』と呼べるだろうかねェ

ノミどものは「勇気」とは呼べんなあ

それではジョジョ！
「勇気」とはいったい何か！？

「勇気」とは「怖さ」を知ることッ！
「恐怖」を我が物とすることじゃあッ！

文法解説

自問自答を阻止せよ!?
Do you call this "courage"?
No, I don't call that "courage".

答えに移る前の一瞬の一拍、ここで間髪入れずに **No, I don't** と言えばさすがのツェペリも **Y...yes, you're right...** と狼狽するに違いない。会話において「瞬時に返す」はぜひ実践したい高等テクだ。それを可能にするのは音読・口述練習の繰り返しあるのみ。しっかり声に出して練習しよう。

(JC3巻)

ツェペリが伝える「勇気」の本質!

英語

Zeppeli : Those tiny little fleas, you know, those small insects…
These bugs would try to attack us humans, even though we are much bigger and much smarter than they are.
Fleas challenging huge enemies…
Do you call this "courage"?

No, I don't call that "courage".

Then tell me, JOJO!
What is "courage"?

"Courage" is to know what "fear" is!
It's "owning" your fear!

単語・熟語

flea：ノミ
insect/bug：虫
tiny little：
「小さい」の重複使用で強調
own：所有する

☞ whatの用法① 関係代名詞? 疑問詞? どっち?
"Courage" is to know what "fear" is!

勇気とは恐怖というものを知ること。（関係代名詞）
勇気とは恐怖が「何か」を知ること。（疑問詞）

what は関係代名詞または疑問詞であるが、ここでは訳し方によってどちらにもなりうる。もし似たテスト問題でバツをつけられても間違っているとは限らない!? 「文法」にしばられすぎないように。

SCENE 4

日本語

ブラフォード：フフフ…この「痛み」こそ「生」のあかし
この「痛み」あればこそ「喜び」も
感じることができる
これが人間か………
奇妙なやすらぎをおれは今感じる
もう 世への恨みはない…こんなすばらしい男に
こんなあたたかい人間に
最後の最後に出会えたから…
我が女王のもとへ旅立とう……
三百年たった世界の友人よ
おまえの名をきかせてくれ

ジョナサン：ジョナサン・ジョースター

ブラフォード：ジョナサン…このおれの剣に刻んである
この言葉をおまえに捧げよう！
Luck！（幸運を）
そして君の未来へこれを持って行けッ！
PLUCK（勇気をッ！）

文法解説

☞ **be able to～** 「～することができる」
I was finally able to meet such a great man.

メインの動詞（ここでは meet）と組み合わせて「～することができる・可能」の意味になる複合動詞。

例：英語を学ぶ理由
△ **I want to speak English.**「(今)話したい」― 衝動的欲求
○ **I want to be able to speak English.**
「(いつか)話せるようになりたい」― 将来的願望

(JC4巻)

捧げるは「運」と「勇気」!

英語

Bruford: Huh, this "pain" is a sign of "being alive".
I feel "joy" because of this "pain".

I see…so this is humanity…
Strangely, I feel somehow at peace now.
I have no hatred for this world anymore.
That's cuz I was finally able to meet such a great and warm-hearted man.
Now I'm ready to go back to my Queen.
My friend from 3 centuries later, tell me your name.

Jonathan: Jonathan Joestar.

Bruford: Jonathan, take this word engraved on my sword!
Luck!
And take this to your future too!
PLUCK.

単語・熟語

hatred：嫌悪
cuz：
　becauseの口語発音を文字化したもの
century：世紀
engraved：刻印された

☞ go / come back 「帰る・戻る」
Now I'm ready to go back to my Queen.

go / come back (to)に続くのは「場所」とは限らない。本文の例のように「人」にも使える。**go** と **come** の使い分けは分かりづらいが、**go** は「離れた場所へ向かう」イメージ、**come** は「相手などに近づく」イメージと覚えておこう。

I'll go back to my house first.「一度家に帰ってからにするよ」
I'll come back to you later.「戻ってきます」(「また連絡します」の意味としても使える)

SCENE 5

日本語

スモーキー：こんなやつを！　こんな化け物を！
　　　　　やっつける策がさらにあるのか！　ジョジョ！
ジョセフ：ああ…あるぜ！
スモーキー：ええ！　あるのか!?
ジョセフ：ああ…たったひとつだけ残った策があるぜ
スモーキー：たったひとつだけ！　そ…それはいったい？
ジョセフ：とっておきのヤツがな！
　　　　　あの足をみろ！
　　　　　やつは足がコマ切れになりすぎて
　　　　　まだ完全に回復しきれてねえ！
　　　　　そこがつけめだ！
スモーキー：そ…それで　たったひとつの策とは？
ジョセフ：こっちも足を使うんだ
スモーキー：足だって！　足をどうやって！
ジョセフ：逃げるんだよォ！　スモーキーーーッ!!

(JC6巻)

文法解説

☞ 会話文は「文法」にこだわらない！

ここでは「文法的に不完全」な短いセリフもいくつか登場するが、これも「実際の会話」だ。たとえば **A special one** は S（主語）＋ V（述語）がしっかり入った **It's a special one** が「文法的に正しい」が、実際にはこのように「わざわざ言わない」こともある。ただしこのように省略して言う場合でも意識の中では **It's** を含めて作文できていることが理想的だ。

とっておきの策！逃げろ！！

英語

Smokey: JOJO, you mean you have other plans to defeat this monster?!
Joseph: Yeah, I do!
Smokey: Oh really now?
Joseph: Yeah, there's just one more left.
Smokey: One more!? And what might that be?
Joseph: A special one!
Look at his legs!
They're blasted to smithereens and they'll take a while to recover!
There's the chance!!
Smokey: So what exactly is the last option?
Joseph: We'll use our legs, too.
Smokey: Use our legs?! How?!
Joseph: Run! Run, Smokey, run!

単語・熟語

defeat：倒す・負かす
really now：へえ・まさか
blasted to smithereens：木端微塵になる

婉曲表現

what might that be?

ここでの **might** は不確実の意を込めて「〜かもしれない」を表す助動詞。直訳すれば「それはいったい何であるかもしれないのですか？」つまり **What is that?**「それは何？」の婉曲表現となる。

Where is it?「それはどこ？」— ストレートな表現
Where might that be?「それはつまりどこということになるのですか？」— 婉曲表現

SCENE 6

日本語

シーザー：し………し……死ぬのは……
こわくねえ…………ぜ
だが…おれは 誇り高きツェペリ家の男だ
その血統を受け継いでいる

父さんは このおれを息子と知らなくても
自分の命を犠牲にして救ってくれた………………
じいさんもJOJOの祖父ジョナサンのために
波紋の力を与えて
死んでいったというぜ……………

こ こんなこと人間でねえ きさまなんかに
しゃべってもわからねーだろうがなァ

だから おれだってなんかしなくっちゃあな…
カッコ悪くて あの世に行けねーぜ…………

おれが最期にみせるのは代代受け継いだ
未来にたくすツェペリ魂だ！
人間の魂だ！

JOJO ————おれの最期の波紋だぜ———
うけとってくれ———ッ

(JC10巻)

文法解説

shallでキメるッ!
I shall therefore perform my last Zeppeli spirit.

ツェペリ家、その誇り高き魂!!

英語

Caesar: I ain't afraid to die…

But I am from the noble Zeppeli family and I'll be carrying on that name.

My father risked his life to save me without even knowing I was his son. And they say my grandfather died by giving the Hamon power to JOJO's grandfather, Jonathan.

Well, what's the point of talking about this to a non-human like you, because you'll never know.
So I gotta do something…
Otherwise, I can never face them up there.

I shall therefore perform, toward the future, my last Zeppeli spirit I inherited from my ancestors, the great human spirit!

JOJO, this is my very last Hamon! Take it!

単語・熟語

ain't:
ここでは am not の口語発音を文字化したもの

Hamon:
「波紋」の『ジョジョ』公式英表記。英語では ripple

inherit:継ぐ

ancestor:先祖

---

shall は昔の貴族などが「強い意志」を表現するために使う言葉というイメージで、日常会話では代わりに **will** がよく使われる。ただしシーザーのセリフのようにキザに（もったいつけて）キメたいとき、冗談交じりに言いたいときなど、効果的な使用シーンはある。**I shall return**「私は必ず戻ってくる」はマッカーサー元帥が戦地から撤退する際に残した有名なセリフだが、たまにはこんな洒落たセリフを日常会話に交ぜてもおもしろいかもしれない。

SCENE 7

日本語

ワムウ：きさまッ！　このワムウに…生き恥をかかせる気か
　　　　やめろ！　敵からの情けなどいらぬッ！

ジョセフ：情け？　今おまえは　情けといったのか
　　　　なら　なぜ　おまえはシーザーのバンダナと
　　　　やつの心である　この解毒剤のピアスの入った
　　　　シャボン玉を割らずに残しておいたんだ？
　　　　情けからか？

ワムウ：それはあの男が………誇り高き戦士だった…からだ！
　　　　戦士への敬意のためだ！
　　　　はっ！
ジョセフ：「まさか JOJO きさま」と驚く

ワムウ：まさかッ！　JOJO！　きさま！
ジョセフ：そうさ！　ワムウ！　戦いは　戦いで別
　　　　シーザーの死の悲しみは　悲しみで別……
　　　　おれも　なぜかあんたに対して敬意を
　　　　はらいたくなったのさ………
　　　　この血はあんたへの「敬意」なんだ……
ワムウ：フフ…完敗だよ
　　　　JOJO　どうやらおまえは　おれより戦士としても
　　　　高みに立ったようだな…

文法解説

否定疑問文　Why didn't you～?
Why didn't you destroy Caesar's bubble?

主動詞が一般動詞（ここでは destroy）の場合の否定疑問文で
「どうして～しなかったのか」。現在形の Why don't you～?
だと意味が変わり「～すればいいのに」になる。また Why
don't we だと Let's と同じ「～しようよ」になる。

(JC11巻)

情けにあらず、戦士への「敬意」!

英語

Wamuu : You bastard! You trying to humiliate me? Give it up! I don't need compassion from an enemy!

Joseph : Compassion? You said "compassion" just now?
Then, tell me, why didn't you destroy that bubble with Caesar's headband and the antidote ring, his last heart?
Was that because of compassion?

Wamuu : That was because…he was a great warrior! That was my respect to a warrior! Ha!

Joseph : With a surprised look, you say, "JOJO, you bastard!"

Wamuu : JOJO, you bastard!

Joseph : Yup! A fight is a fight, Wamuu, and my grief for Caesar's death is something else. And for some reason I also felt I should show you some respect.
This blood is how I show my "respect"…

Wamuu : Hm, this is complete defeat. JOJO, I guess you stand at a higher level than I do as a warrior now.

単語・熟語
You bastard：この野郎
humiliate：侮辱する
compassion：同情
antidote：解毒剤

think以外の「思う」
I guess（that）〜

「私は〜だと思う」を表現するときにまず浮かぶのは **I think (that)〜** だが、ここでの **guess** の他にも **suppose / assume / presume / consider / believe**、さらには否定の **don't think** の類似語として **doubt / suspect** などもある。確信の度合いなど、微妙にニュアンスが違ってくることもあるが、ぜひいろいろ使ってみてほしい。

SCENE 8

Part 3 Stardust Crusaders

日本語

承太郎：…………この空条承太郎は……いわゆる不良のレッテルをはられている…
ケンカの相手を必要以上にブチのめし
いまだ病院から出てこれねえヤツもいる…
イバるだけで能なしなんで気合を入れてやった教師はもう2度と学校へ来ねえ
料金以下のマズイめしを食わせるレストランには代金を払わねーなんてのはしょっちゅうよ

だが こんなおれにも
はき気のする「悪」は わかる!!
「悪」とは てめー自身のためだけに 弱者を利用しふみつけるやつのことだ!!

ましてや女をーっ!
きさまがやったのはそれだ!
あ〜〜〜ん おめーの「スタンド」は
被害者自身にも法律にも見えねえし
わからねえ…

だから

おれが裁く!

(JC13巻)

文法解説

強調のDo
I do understand what disgusting "evil" is!

I understand「分かっている」を強調、do を入れることで「よ〜く分かってる」のニュアンスに変わる。たいていは but「そうなのだけれど」でつなぎ、言い訳や文句などが続く。

許せぬ悪はおれが裁く!

英語

Jotaro: I, Jotaro Kujo, am labeled as the so-called "Bad Boy".
I whip the asses of the guys I fight so bad that some are still laid up in the hospital. Some arrogant and brainless teachers at school that I taught MY lesson would never come back to school.
Most of the time I leave a restaurant without paying when they serve crappy food that's not worth the price.
But still, I do understand what disgusting "evil" is!
"Evil" is the one who takes advantage of the weak and uses them only to fulfill his own interest!
And much less, to a woman!
That's what you did!
Neither the victim nor any law can see your Stand or even know it exists…

That's why…

I'll be the judge of that!

単語・熟語

so-called：いわゆる
crappy：ひどい・粗末な
take advantage of：～を利用する・つけ込む
the weak：弱者

---

whatの用法② 関係代名詞? 疑問詞? どっち?
That's what you did!

ここでの **what** には「何?」という意味が含まれないため疑問詞ではなく関係代名詞。**what** は **the thing that**「～ということ・もの」に置き換えることができる。日常会話でも使用シーンの多い表現だ。
That's what(=the thing that) you should do.「それこそ君がやるべきことだ」

SCENE 9

Part 3 Stardust Crusaders

日本語

ポルナレフ：ちィ！
　　　　　説教好きだからこーなるんだぜ
　　　　　なんてザマだ

花京院：な…なんだと？　ポルナレフ
ポルナレフ：誰が助けてくれとたのんだ
　　　　　おせっかい好きのシャシャリ出のくせに
　　　　　ウスノロだからやられるんだ…
　　　　　こういうヤツが足手まといになるから
　　　　　おれはひとりでやるのがいいと言ったんだぜ

花京院：た…助けてもらってなんてヤツだ

ポルナレフ：迷惑なんだよ
　　　　　自分の回りで死なれるのはスゲー迷惑だぜッ！
　　　　　このオレはッ！

(JC15巻)

文法解説

👉 **That's why 〜　「だから〜なんだ」**
That's why he died./ That's why I told him.

19ページの **That's what 〜** と同じ働きで、やはりここでも why には「なぜ？」と問う意味はないため、疑問詞ではなく関係代名詞 why = the reason that「〜という理由・原因」となる。

That's why I am bad-mouthing him like this!
「だからあえてこうして悪態をついている(悪口を言っている)んだよ！」

悪態は溢れる情の裏返し

英語

Polnareff : Ooph!
That's what you get for trying to tell people what to do and what not to do. It sucks, doesn't it?
Kakyoin : What? Come again, Polnareff.
Polnareff : Who told him to come and help me? He's an assclown sticking his nose into my business, and that's why he died. That's why I told him I'd rather do it alone because a guy like him becomes nothing but a pain in the ass.
Kakyoin : He saved your life, and that's all you have to say?
Polnareff : This is a real drag…
I really hate to have to see someone dying in front of me!
I mean it!

単語・熟語

It sucks：ケッ！

pain in the ass：
（直）尻の痛み
→目の上のたんこぶ

drag：足手まとい・邪魔もの

会話でよく使うショートフレーズ

Come again
英語学習者にとっての定番フレーズ**Could you repeat that again?** と同じ意味だが、かなりくだけた表現（言い方によっては「もーいっぺん言ってみろ、このやろー」的な響きにも）のため、先生などに対しては使わないように！

I mean it!
「本気（でそういう意味・つもり）だぜ！」。**mean** は「単語などの意味」について語るときに使うイメージが強いが、このように主語を人にして「思っている・考えている」を表すこともできる。

SCENE 10

日本語

承太郎：てめーら なんだって そんなにしてまで
DIOに忠誠を誓う？
死ぬほどにか……

ンドゥール：承太郎 おれは死ぬのなんか
これっぽっちもこわくないね……
フフ……「スタンド」の能力のせいで
子供のころから死の恐怖なんか
まったくない性格だったよ
どんなヤツにだって勝てたし
犯罪や殺人も平気だった………
警官だってまったく怖くなかったね………

そんなおれが はじめて この人だけには
殺されたくないと心から願う気持ちになった
その人は あまりにも強く 深く
大きく 美しい………
そして このおれの価値を
この世で初めて認めてくれた……
この人に出会うのを おれはずっと
待っていたのだ

『死ぬのはこわくない しかしあの人に
見捨てられ殺されるのだけはいやだ』
悪には悪の救世主が必要なんだよ フフフフ

文法解説

☞ **How come? を Why? に置きかえると？**
How come you guys want to be so loyal to DIO?

答：**Why do you guys want to be so loyal to DIO?**
ポイントは **do** を入れて疑問形にすること。

(JC20巻)

悪の忠誠は死をもいとわぬ

英語

Jotaro: How come you guys want to be so loyal to DIO?
So loyal you're even willing to die for him…

N'Doul: Jotaro, I'm not afraid of dying in the slightest.
Huh, I never feared death since I was a kid when I got my "Stand" power.
I could beat anyone, and I never felt guilty about committing crimes and murder. No conscience, man.
Cops meant squat to me.

But for the first time in my life, I felt for sure that I didn't want to be killed by this man. He is so strong, deep, great and beautiful.
And he was the first one who admitted to my value.
I've been wanting to meet him for years.

"I have no fear to death, but I couldn't take being abandoned and killed by him".
Evil needs a savior, too. …he he…

単語・熟語

in the slightest：これっぽっちも
conscience：良心
admit to：認める・許可する
abandon：放棄する

受動態(受身)
I didn't want to be killed / 〜being abandoned

Be と主動詞の過去分詞(ここでは **killed / abandoned**)の組み合わせで受動態「〜される」となる。受動態の場合、その内容はネガティブなものであることが多いのが特徴だ。例：**be cheated**「騙される」

SCENE 11

日本語

アヴドゥル：ポルナレフ 突入する前に
ひとつだけ言っておきたい
わたしは もしこの館の中で
お前が行方不明になったり負傷しても
助けないつもりでいる…

ポルナレフ：…………

アヴドゥル：イギー おまえもだ
冷酷な発想だが我々はDIOを倒すために
この旅をしてきた………
おまえたちの方も もし
わたしがやられたり……
おまえたちとはぐれても……
わたしを助けようとしないことを約束しろ
自分の安全を第一に考えるのだ……
ひとりを助けようとして全滅してしまうのは
さけなくてはならない

ポルナレフ：ああ わかったぜ…………アヴドゥル
生きて出てこれたら豪勢な夕飯をおごれよ

アヴドゥル：イギーにもな

文法解説

☞ getの幅広い用法
get injured / get separated / I got it / We've gotta / You've got to

get injured / **get separated** のように **get** は **be(come)**「～になる」の代用として会話では多用される。また **I got it** は **Okay** / **OK**、つまり **understand**「理解する」の代用としてよく使う。**have got to** / **gotta** についてはすでに7ページで解説しているとおり、**get** を入れたこの表現は語呂を良くするための会話独特の言い回しである。

(JC26巻)

信頼が生む固き誓い

英語

Avdol: Polnareff, Let me tell you one thing before we go in.
I'm not gonna be there to help you even if you disappear or get injured in this building.

Polnareff: ············

Avdol: Iggy, I'm talking to you, too.
I know this is cruel, but remember we made this trip all the way to defeat DIO. So promise me not to try to save me even when I am in danger or if I get separated from you guys.
Just think about saving your own lives.
We've gotta avoid being all wiped out by being sure to save just one of us.

Polnareff: Yeah, I got it, Avdol.
If by some chance we all survive, you've got to treat me to a good dinner.

Avdol: And one for Iggy, too.

☞ 単語・熟語

even if / when：もし〜でも
avoid：避ける
be wiped out：全滅する
treat 人 to：〜におごる

☞ Be + 動詞ing　進行形？　未来形？
I'm talking to you, too.

Be + 動詞ing で「〜している（現在進行形）」または「〜していた（過去進行形）」。ただし未来表現の be going to + 動詞原形も同じ Be + 動詞ing という形に省略（変形）することもできるため、進行形との区別がつきにくいこともある。ここでの英訳（意訳）は「(『助けない』は)イギー、おまえにも言っている」つまり進行形だが、**I'm not helping you, too.**「おまえも助けないつもりだ」という直訳だと未来形ということになる。

SCENE 12

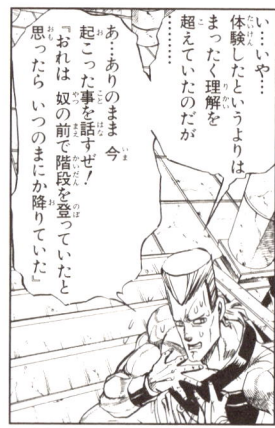

日本語

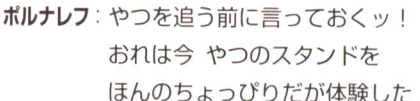

ポルナレフ：やつを追う前に言っておくッ！
おれは今 やつのスタンドを
ほんのちょっぴりだが体験した

い…いや…体験したというよりは
まったく理解を超えていたのだが………
あ…ありのまま 今起こった事を話すぜ！
『おれは 奴の前で階段を登っていたと思ったら
いつのまにか降りていた』

な…何を言っているのかわからねーと思うが
おれも 何をされたのか わからなかった…
頭がどうにかなりそうだった…催眠術だとか
超スピードだとか そんなチャチなもんじゃあ
断じてねえ
もっと恐ろしいものの片鱗を味わったぜ……

文法解説

☞ It + be 「～だ」
It was not really an experience.
It was totally beyond my expectation.

ここでの It とは「DIOのスタンド能力」を指す形式主語・代名詞である。よって It の代わりに That「あれ・それ」を代用する方法もあるが、日本語訳をみると日本語独特の「主語がない」文章であることが分かる。つまり日本語のニュアンスにおいて主語を強調しない場合、英語では It を主語にするのがもっとも自然な表現となる。**This is good** が「これはうまい！」なら **It is good** は「フツーにおいしい」（!?）

DIO、そのあり得ぬ恐怖！

英語

Polnareff: I'm gonna tell you one thing before we go after him!
Just now, I experienced just a bit of his Stand.
Well…it was not really an experience but rather it was totally beyond my expectation.
Let me just explain what happened just now!
"I thought I was climbing up the stairs towards him, but then I realized that I was going down."
I know it sounds strange but I also didn't understand what was going on.
I thought I was going crazy. But I can tell you for sure that it wasn't fakery like hypnosis or superfast speed.
I felt the tip of something that is much more evil…

単語・熟語

be beyond expectation：理解・予想を超える
go crazy：頭がおかしくなる
fakery：偽くさい
hypnosis：催眠術

関係代名詞の使い分け

I felt the tip of something that (/ which) is much more evil…

関係代名詞には **who / which / that** / whom / whose があるが、分かりづらければ、まずは太字の３つの使い方をしっかり理解するところからはじめよう。

He is a person <u>who</u> has evil power.「彼は邪悪な力を持つ（という人）」
I felt a tip of something <u>which</u> is much more evil.
「もっと恐ろしい（という何か）の片鱗を感じた」

人には **who**、モノ・事には **which** と覚えよう。**that** は the biggest「一番大きな」、the only「唯一の」など最上級や限定的な修飾詞が入っている場合と、who / which の代用としても使える。

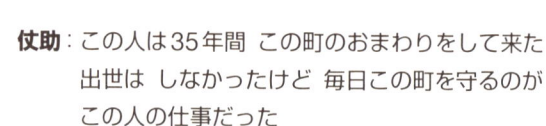

日本語

仗助：この人は35年間 この町のおまわりをして来た
出世は しなかったけど 毎日この町を守るのが
この人の仕事だった
今さっきもアンジェロの仕業と思われる
ニュースをきいたとき
この人は『町を守っている男』の
目になった

承太郎：やつは何人も殺している
死体が みつかっていない町の人間も
何人かいるはずだ…
やつの殺人に理由はない 趣味だからだ
これからも殺すだろう
まず おまえとおまえのおふくろさんを
殺してからだろうがな……

仗助：おれが この町とおふくろを守りますよ
この人の代わりに……どんなことが起ころうと…

(JC29巻)

文法解説

未来表現　will ＋ 動詞原形

He'll (=he will) continue to do it.
I will protect my town.

will ＋ 動詞原形は be going to と同じ未来表現のひとつ。未来表現は「来年どこかに行く」のようなまさに「未来」を表す内容のものから「町を守ります」のような日本語だけを見る限りつい **I protect my town** としてしまいたくなるレベルの「未来」まで幅広い。will は「これからすぐやる」のニュアンスが強い。

祖父から孫へ……男の決意！

英語

Josuke: He's been a cop in this town for 35 years. He never got promoted, but it was his job to protect this town from crime every day. Just now when he heard the news about an incident most probably caused by Angelo, from the look in his eyes, you could tell he became a "guardian of the town".

Jotaro: Angelo already killed a lot of people. There must be bodies of some people not even found yet.
He doesn't need a reason for killing. He just does it for fun, and he'll continue to do it, starting with you and your mother.

Josuke: I will protect my town and my mom in his place no matter what it takes…

単語・熟語

cop：
police officer（警官）の口語

get promoted：
昇進・出世する

incident：出来事・事件

no matter what it takes：
どんな犠牲を払ってでも

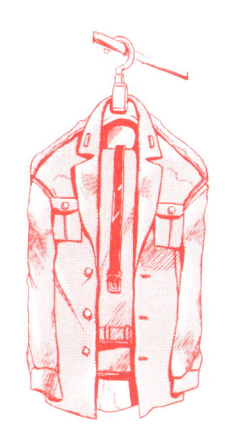

現在完了形 経験・完了・継続・結果

He's (=He has) been a cop in this town for 35 years.

Have + 動詞の過去分詞で経験・完了・継続・結果を表す現在完了形となり、ここでの主動詞は**be**「〜である」、その過去分詞 **been** を使ったパターン（経験）となる。**have been + 場所**「行ったことがある」は定番フレーズだ。警官として35年勤務してきた仗助の祖父だが、この文がはたして経験なのか、継続なのか、アンジェロに殺されたことを考えれば経験なのだが、こういう細かい文法解釈で頭を悩ます学習とはそろそろおさらばしよう。

Part 4 Diamond is Unbreakable

SCENE 14

敵か

日本語

億泰：なんでだ？　なぜオレの傷を治した？
仗助：うるせえな　あとだあと
億泰：てめーを攻撃するかもしんねーぞ
　　　おれは　てめーの敵だぜッ！
仗助：やるのかい？
億泰：てめーの答えをきいてからだ！
　　　なんで傷を治した？
　　　おれは兄貴のスタンドの正体を
　　　しゃべっちゃあいねーぞ
　　　おれは頭あんまりよくねーんだからよッ！
　　　バシッ！　と答えてもらうぜッ！
　　　それに……！
　　　てめーのその手のキズだ！　おれを外に
　　　ひっぱり出す時にやられたんだな？
　　　そんなにまでしてよ
　　　なぜオレを助けたのかききてえ!!
仗助：深い理由なんかねえよ
　　　「なにも死ぬこたあねー」
　　　さっきは　そー思っただけだよ

文法解説

wanna
（*Do you*) *wanna try?/wanna know*

gonna 同様、ここではセリフ発音に近づけるための **want to** の短縮形 **wanna** だが、書き言葉における基本ルールは **want to** であり、さらには **wana try?** は質問（疑問文）なので文頭に **Do you** を入れる必要もある。ちなみに **wannabe**（= want to be）とは「〜気取り」、誰かに憧れてその人になりたがっている人のことを指す。やたら「無駄」を連発する彼、**He is a DIO wannabe.**

(JC30巻)

ら友へ……深い理由はいらない

英語

Okuyasu: Why? Why did you heal my injury?
Josuke: Shut up, you can ask that later.
Okuyasu: I could attack you, you know.
　　　　　I'm your damn enemy!
Josuke: Wanna try?
Okuyasu: That depends on your answer.
　　　　　Why did you fix my injury?
　　　　　I didn't even tell you the secret about my brother's Stand.
　　　　　I'm not the sharpest tool in the box, so you'd better make it real easy to understand with your answer!
　　　　　And the wound in your hand! You got that when you tried to pull me out, right?
　　　　　I wanna know why you risked yourself to help me!
Josuke: There's no specific reason, actually.
　　　　　I just thought, "Hey, does this guy really deserve to die?"

☞ 単語・熟語

depend on：
　〜次第である・〜に頼る

not the sharpest tool in the box：
　（直）「工具箱の中のもっとも鋭利な工具ではない」
　→「あまり頭が冴えるタイプではない」

deserve：値する・価値がある

☞ 傷を「治す」がなぜ fix？
Why did you fix my injury?

一般的に傷を「治す」として使うのは **heal** や **cure** だが、ここでは **fix** も使っている。**fix** というのはイメージとしては、工具などで機械を「直す」行為を指す。仗助がどうやって傷や壊れたものを「直す」か、それを考えるとここでは **fix** がもっともしっくりくるのかもしれない。**fix** はこれ以外に **fix dinner**「夕食をこしらえる」、**fix a schedule / an appointment**「スケジュール／アポを確定させる」、さらには仗助自慢の **fix his hair**「髪型を整える」など。「髪型がナンだと、コラ！」という声が聞こえてきそうなのでこのくらいにしておこう。

SCENE 15

日本語

間田：『スタンド使い同士ってのは…
　　　…どういう理由か……
　　　正体を知らなくても…知らず知らずのうちに
　　　引き合うんだ…』
　　　『結婚する相手のことを
　　　「運命の赤い糸で結ばれている」とか
　　　いうだろ？』
　　　『そんな風にいつか…どこかで出会うんだよ…』
　　　『敵か友人か…
　　　バスん中で足を踏んづけるやつか…
　　　引っ越してきたとなりの住人とか……
　　　それは分からないけどね』

文法解説

"They"って誰？
They say that 〜

日本語では「主語」は省略できても英語では形式上、必須となる。では「結婚相手が運命の赤い糸で結ばれている」と **say**「言って」いるのは誰か？答えは「誰かは分からないが昔から"みんな"がそう言っている」、つまり英語では **They**「彼ら」として表す。

(JC32巻)

語られる「スタンド」の秘密！

英語

Hazamada: For some reason, Stand users like us, even though we don't know each other, are destined to hook up.
　They say that your marriage partner is usually someone who is "tied together with red string of fate", right? "It's just like that, Stand users eventually run into each other someday, somewhere."
　They could be your enemy, your friend, or someone who happens to step on your foot on the bus.
　It could be the new neighbor in town, who knows?

単語・熟語

be destined to：～という運命にある
hook up：つなぐ・くっつく
eventually：結果的に
neighbor：隣人（近所は neighborhood）

---

could be 「～であるかもしれない」
They could be your enemy. / It could be the new neighbor.

可能性を表す助動詞のひとつ、**could**。これに「である」を表す **be** を組み合わせた、よく使うフレーズ。形式上は **can** の過去形であるが、ここでは過去の意味合いはなく、よって **can** との違いは時制ではない（**can** は"理論上の"可能性）。可能性の度合いとしてはたとえば **may be** よりも低くなる。

He could be Stand user, but he could just be an alien.
「彼はスタンド使いかもしれないが、ひょっとするとただのエイリアンなのかもしれない」

SCENE 16

日本語

康一：君…なんか変だよ

仗助：え？　う〜むそうかもしんねーなあ
　　　本心を言うとよォ　康一
　　　ま…音石のやろーに殺されなかったのは
　　　それは　うれしいよ
　　　メデタシ　メデタシだな
　　　でもよォ〜　実は　あんまりよ
　　　会いてぇ〜とは思わねーんだよ
　　　このまま帰ってくれねーかなぁ〜つーのが…
　　　オレの本心だな…
　　　何か今さらって感じでよぉ〜〜
　　　康一　おまえなー　たぶん感動のご対面を
　　　期待してるだろーけど
　　　今までいっペンも会ったことのない
　　　人間なんだよ…
　　　「親子の情」なんて　そんなもんないぜェ〜〜
　　　お互い　気まずいだけなんじゃあないのォ〜〜
　　　別に恨んでるわけじゃないんだぜ
　　　お袋もどう思うかだしよ〜〜
　　　そう思わねーか　康一？

文法解説

👉 look / seem / sound
You look a bit strange.

様子などを推測する動詞で **look** は「そう見える（視覚）」、**seem** は「そう思える・感じられる（感覚）」、**sound** は「そう聞こえる（聴覚）」。

You look strange. 「明らかに見た目でヘンだ」
She seemed tired. 「疲れている様子だった」
He sounded tired. 「（口調から判断して）疲れているようだった」

まだ見ぬ父…思いは複雑に

英語

Koichi: You look a bit strange.
Josuke: I do? Yeah, maybe you're right.
To tell the truth, Koichi, yes, I AM glad Otoishi didn't kill him.

It's all good, it's all good.
But the fact is that I don't really want to see him.
I just wish he would just return quietly.
You know, it's kinda late, though.

Koichi, perhaps you're expecting some dramatic scene or something, but there is no such thing as "parental affection" towards somebody I never met.

I think it would just be awkward.
I have nothing against him, and I also don't know how my mom feels about it.
Don'tcha think, Koichi?

単語・熟語

kinda:
kind of の口語発音を文字化したもの

awkward:
気まずい・きまりが悪い

don'tcha:
don't you の口語発音を文字化したもの

本音・真実を語るときの前置き
To tell the truth, / The fact is that

セリフの前置きとしてよく使う「実は」「本当のところは」には様々なパターンがある。どれもニュアンスは大きく変わらないので好みの固定フレーズばかりでなく色々と使いまわしてみよう。

To be honest (with you),「正直言うと」
To be frank with you, / Frankly speaking,「はっきり言うと」
In fact, / Actually, / As a matter of fact,「実は」

SCENE 17

日本語

HS: 早く言えよォ〜〜〜〜〜ッ
見ろ！　怪しんで近づいて来ねえじゃあねーかよ
おまえら別に愛し合ってる仲じゃあねーんだろ？
『助けてくれ』と言えったらァ〜ッ！
死にたいのか？

露伴: あ…あいつをひき込めば…あいつを差し出せば…
ほ……ほんとにぼくの「命」…は…
助けてくれるのか？

HS: ああ〜約束するよ〜〜〜〜〜〜っ
やつの『養分』と引き換えの
ギブ アンド テイクだ
呼べよ…早く呼べ！

露伴: だが断る
この岸辺露伴が最も好きな事のひとつは
自分で強いと思ってるやつに
『NO』と断ってやる事だ……

文法解説

付加疑問文
You guys aren't lovers, are you?

付加疑問文は平叙文（S＋V）の後に疑問節（V＋S）を加えた文型で、ここでは否定付加疑問文。「恋人同士じゃあるまいし」と「まさかの恋人関係」である可能性は限りなくゼロであるという前提だ。**not** を入れ替えた **You are lovers, aren't you?** は「君たち恋人同士でしょ、違うの？　違うわけないよね？」。

直接話法
Just say, "Help me."

直接話法とは引用符 **quotation marks**（" "）の中に話者のセリフを言葉どおりのまま収める表現方法。

(JC41巻)

「だが断る！」最強の強がり

英語

HS: Come on, say it, man.
Look, he's not coming any closer because he's getting suspicious.
You guys aren't lovers, are you?
Just say, "Help me." That's it. Do you want to die?

Rohan: Are you really going to save my life if I bring him in and give him to you?

HS: I give you my word, I promise.
I'll get his "nutrients" in exchange and that's the deal.
Call him for help, now!

Rohan: Well, you can kiss my ass.
One of the things I love to do is to say "No" to someone who thinks he's all that.

単語・熟語

suspicious：疑い深い・怪しい
in exchange：代わりに

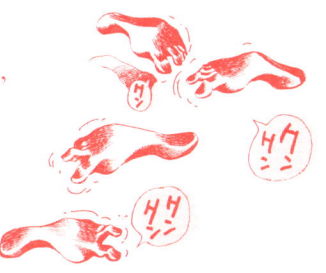

直接話法　作文のポイント

1) 実際のセリフどおりに書く。
2) セリフの前にコンマを入れる。
3) ピリオドは引用符の中に収める（「！」や「？」も同様）。
4) 「言う」に当たる動詞は基本として **say / said** である。

直接話法 → 間接話法へ変換する

Just say (that) you want / need help.
Just tell him (that) you want / need help.

間接話法の場合、セリフ部分は **that** でつなげるが省略するケースが多い。Just say, "Help me." の上記変換例を見ると目的格の人称代名詞 **him** が入ることで動詞が **say** から **tell** に変わっている点に注意。

SCENE 18

Part 4 Diamond is Unbreakable

日本語

億泰：オレ……変な「夢」を見たぜ…
　　　オレ…夢の中で暗闇を歩いてるとよぉ——
　　　光が見えて オレの死んだ兄貴に会ったんだ
　　　「形兆」の兄貴さ……
　　　『どこへ行くんだ 億泰』…って……
　　　兄貴が オレに聞くんだ
　　　オレは『兄貴について行くよ』って言った……
　　　だって 形兆兄貴は いつだって頼りになったし…
　　　兄貴の決断には 間違いがねえから
　　　安心だからな…
　　　そしたら 兄貴は…
　　　『おまえが決めろ』って言うんだよ……
　　　『億泰…行き先を決めるのは おまえだ』
　　　ってな…
　　　オレは ちょっと考えてよォー
　　　『杜王町に行く』って答えたら目が醒めたんだ
　　　………
　　　とてもさびしい夢だったよ

文法解説

☞「見た夢を語る」

見た夢を他人に、しかも英語で伝えるというのは至難の業だ。状況に応じて現在形、過去形、過去進行形を使い分ける力、さらには直接話法と間接話法のどちらを選んで言うか瞬時に判断する力も必要になる。ぜひトライしてみよう。

☞ 間接話法 → 直接話法に変換

He asked me where I was going.
→ He asked / said, "Where are you going?"

1）セリフ部分の主語が変わる（I → you）、2）主語と動詞の順序が逆になる、3）直接話法では時制が一致しないことも。

(JC46巻)

兄への思慕、つのる刻

英語

Okuyasu: I had a strange dream.
In my dream, I was walking in the darkness when I saw a light and my dead brother Keicho appeared. He asked me where I was going, so I told him that I was coming with him, because he was always reliable and spot on with his decisions, so I always feel safe with him.

Then he told me to decide myself.
He says I should decide where I should go.

So I thought about it for a while, and as soon as I told him I'd go to Morioh town, I woke up.
It was the saddest dream I ever had.

単語・熟語
- **appear**：現れる
- **reliable**：信頼できる
- **spot on**：正確で・狙い通りで

練習問題：直接話法に変換してみよう

1） I told him that I was coming with him. 「オレは『兄貴について行くよ』って言った」
2） I told him I would go to Morioh town. 「オレは『杜王町に行く』って答えた」
3） I asked him why he left me alone. 「オレは『なぜオレを独りにしたんだ』と聞いた」

解答例：
1） I said, "I am coming with you."
2） I said, "I will go to Morioh town."
3） I said / asked , "Why did you leave me alone?"

逆（直接 → 間接）でもトライしてみよう。

SCENE 19

次な

日本語

ジョセフ：この杜王町の今回の事件に関わる
仗助たちを見ていて……
ひとつだけ言える事を見つけたよ
この町の若者は『黄金の精神』を
持っているという事をのォ
かつて わしらもエジプトに向かう時に見た
………
「正義」の輝きの中にあるという
『黄金の精神』を………
わしは仗助たちの中に見たよ………
それがあるかぎり大丈夫じゃ………
彼らの示した その「精神」は『吉良』の事件を
知らない他の人々の心の中にも
教えなくとも 自然としみわたって行くものじゃ
そして次なる世代にもな………
この町は もう心配ないよ

(JC47巻)

文法解説

黄金の三動詞　Be / Do / Have

英語においてもっとも使用頻度の高い動詞が Be / Have / Do であり、ここでのジョセフのセリフでもBeは5回、Have 2回、Do 1回を使用している。この三動詞は中学で学ぶ基本文法のほとんどを網羅しているためマスターは必須だ。頭で「分かってる」と「使いこなせる」は全く別だ。

All you <u>have</u> to <u>do</u> <u>is</u> to master Be Do & Have!
「まずやるべきはこの三動詞をマスターすること！」
You <u>do</u>n't <u>have</u> to <u>be</u> perfect in English grammar to speak English!
「英会話をするために完璧な文法は必要ない！」

る世代へ……受け継がれる精神

英語

Joseph: What I can say from watching Josuke and everyone involved in this case here in Morioh town is that the young folks have the "Golden Spirit" inside them.
The "Golden Spirit" inside the brightness of "Justice" is what we also saw in Egypt a long time ago.
I can see that in Josuke's and everyone's heart, and as long as they continue to keep that intact, everything will be alright.
The "Spirit" they have will spread, quietly but strongly, among other people that don't know about the case of "Kira", and will be passed down to the next generation.
There's nothing more to worry about in this town.

単語・熟語

involved in：
　〜に関わっている

folks：
　人々（peopleに親しみを込めた表現）

intact：そのままで

pass down：
　伝える（同義語 pass on）

Be の用法①　「A＝B」、「〜は〜だ」

Josuke is my son.「仗助はワシの息子だ。」（be ＋ 名詞のパターン）
The young people in Morioh town are brave.
「杜王町の若者は勇ましい。」（be ＋ 形容詞のパターン）

Be の用法②　所在・状態などを表すBe

Where is Josuke?「仗助はどこだ？」（所在）
The Golden spirit is inside their heart.「黄金の精神は彼らの心の中にある。」（状態）

Be の応用　It / There ＋ beの用法（26ページ・6ページ参照）

固有名詞を主語として使うかわりに形式主語・代名詞 **It / There** を使用するパターン。
It is the same spirit that I saw in Egypt.「エジプトでみたのと同じ精神だ」
There is nothing to worry about in this town.「この町には心配することはない」

SCENE 20　最後

日本語

ジョセフ：てめーは越えてはならねえ一線を越えた…
　　　　　てめーは正正堂堂といいながら
　　　　　リサリサをだまし裏切った！
　　　　　そして てめーのその行為は仲間であった
　　　　　ワムウの「意志」をも
　　　　　裏切ったんだッーっ!!
カーズ：このカスが…激こうするんじゃあない……
　　　　目的を達するというのが至上の事！
　　　　あくまで「赤石」が手に入れば よいのだ
　　　　できるだけ汗をかかず危険を最小限にし！
　　　　バクチをさけ！
　　　　戦いの駒を一手一手動かす
　　　　それが「真の戦闘」だッーっ!!
　　　　きさまも今から その様にしてジワジワと
　　　　俺の手の内にはまって
　　　　死んでいくことになる…………
ジョセフ：おれはッー
　　　　　おまえほどカーズッ！
　　　　　真底心から憎いと思ったヤツはいねえ！

文法解説

👉 Haveの用法①　「持つ」
Kars finally has the Red Stone.

一般動詞としての **Have** の基本用法で「持つ」を意味するがそれは実際に「手に持てる」ものから、41ページの「黄金の精神」など概念的なもの、さらには「食べる・飲む」の代用、病気や体調などを表す（病気を「持つ」）ものにまで及ぶ。

I had the same experience in Egypt.
「エジプトで同じ経験をした」
We had tea instead of coke, but luckily we didn't have diarrheas.
「コーラでなく紅茶を飲んだが幸い腹は下さなかった」

(JC12巻)

の一線……ジョセフ怒りの頂点

英語

Joseph: You crossed a line you shouldn't have. You said this was gonna be a fair fight, and you backstabbed Lisa Lisa, which deceived your buddy Wamuu's "will" as well!

Kars: Don't get so mad, you little bastard. What's important here is to remember the goal!
All I need is the "Red Stone".
Doing it with no sweat, avoiding risks, playing it smart by moving your chess pieces one at a time –
That's what a "True Battle" is!
And that's how I'm gonna trap you – 'til you die.

Joseph: Kars, you're the most disgusting bastard I ever met!

単語・熟語

backstab：
　直訳は「背後から刺す」。陰で陥れる・不意打ちをする

deceive：裏切る

buddy：
　友達（bud と略すことも）

'til / till：until の略表記

disgusting：ムカムカする

Haveの用法②　現在完了形（29ページ参照）

I have never met such a disgusting guy like you.
Have ＋ 過去分詞で現在完了形を表す。本文の You're the most disgusting〜 を言い換えた例。

Haveの用法③　現在完了進行形

We have been looking for the Red Stone.
現在完了形と進行形を合わせたのが現在完了進行形で「ずっと〜していた」を意味する。

Haveの用法④　have to（7ページ参照）

You have to play the battle chess smart.「チェスは賢くプレイしなければいけない」
Have to 〜で「〜しなければならない」を意味する。

SCENE 21

日本語

DIO：ポルナレフ 人間は何のために生きるのか
考えたことがあるかね？
「人間は誰でも不安や恐怖を克服して安心を
得るために生きる」

名声を手に入れたり 人を支配したり
金もうけをするのも安心するためだ

結婚したり 友人をつくったり
するのも安心するためだ
人のために役立つだとか
愛と平和のためにだとか
すべて自分を安心させるためだ
安心を求める事こそ人間の目的だ
そこでだ……わたしに仕えることに
何の不安感があるのだ？
わたしに仕えるだけで
他のすべての安心が簡単に手に入るぞ
今のおまえのように死を覚悟してまで
わたしに挑戦することのほうが
不安ではないかね？
おまえはすぐれたスタンド使いだ…
殺すのはおしい
ジョースターたちの仲間をやめて
わたしに永遠に仕えないか？

永遠の安心感を与えてやろう

(JC27巻)

闇の帝王、その誘惑‥‥

英語

DIO: Polnareff, have you ever thought why people live this life?
"People live because they want peace of mind and they want to overcome anxiety and fear."
Getting famous, becoming a ruler, earning money– These are all means for that purpose.
Getting married, making friends, doing good things for someone, for love & peace – They're all the same.
Humans just want peace.

So, what makes you so worried about serving me?
All you gotta do is serve me, and you'll get all the peace of mind you can imagine. Aren't you worried about challenging me and risking your life like you're doing now?
You are a capable Stand user, and I don't want you dead.
Forget about Joestar and his gangs, and be my faithful servant for the rest of your life.
I will give you eternal peace of mind, guaranteed.

単語・熟語

overcome：克服する
anxiety：不安
ruler：支配者
means：方法・手段
guaranteed：
 guarantee（保証する）の過去分詞

文法解説

Be の用法A　Be ＋ 動詞ing（進行形）（25ページ参照）
Look at what you are doing now.「今、自分が何をしているか見てみろ」

Be の用法B　Be going to ＋ 動詞原形 / Be ＋ 動詞ing（未来形）（25・28ページ参照）
You are going to get all the peace of mind.「お前は全ての安心が手に入る」
You are becoming my faithful servant.「お前は私の忠実な下僕になる」

Be の用法C　Be ＋ 過去分詞（受動態）（23ページ参照）
Polnareff, you were chosen by me.「ポルナレフ お前は私に選ばれたのだ」

☞ Doの用法①　「する・やる」

前述 Look at what you are doing now の <u>doing</u> は「する・やる」の意味としての **Do** である。

☞ Doの用法②　疑問文

Do you know why people live this life?「人は何のために生きるのか、分かるか？」
Be 以外の一般動詞（ここでは **know**）を使った文を疑問文にするときには時制・人称に応じて **do / did / does** を使う。

☞ Doの用法③　否定文

Don't you feel much worried?「よほど不安に感じないかね？」
Be 以外の動詞（ここでは **feel**）に **not** を使って否定表現にするときに **Do** を使う。ここでは疑問文と組み合わせた「否定疑問文」となる。

☞ Doの用法④　強調（18ページ参照）

I do hope you would choose the right choice, Polnareff.
「正しい選択をすることを強く願うぞ ポルナレフ」
主動詞（ここでは **hope**）を強調する **do**。命令形でも使うことができ、
Do take my advice, Polnareff.「私の助言を受け入れるのだ ポルナレフ」
これにより **Take my advice** というメッセージにさらに「念押し」のニュアンスを持たせる。

以上、黄金の三動詞の基本用法を紹介したが知識は実用レベルに変える必要がある。

Do practice, be patient and have fun with your English study!
「忍耐強く、しっかり練習して、英語学習を楽しんでほしい！」
Good luck!

SCENE 22

日本語

吉良：私の名は『吉良吉影』
年齢33歳 自宅は杜王町北東部の
別荘地帯にあり………
結婚はしていない………

仕事は『カメユーチェーン店』の
会社員で毎日遅くとも
夜8時までには帰宅する
タバコは吸わない
酒は たしなむ程度
夜11時には床につき
必ず8時間は睡眠をとるように
している……
寝る前にあたたかいミルクを飲み
20分ほどのストレッチで
体をほぐしてから
床につくと ほとんど朝まで
熟睡さ……
赤ん坊のように
疲労やストレスを残さずに
朝 目をさませるんだ…
健康診断でも異常なしと
言われたよ

重ちー：な…なにを話してるんだよ!?
おまえ？

吉良：わたしは常に『心の平穏』を
願って生きてる
人間ということを
説明しているのだよ……

英語

Kira: I'm Yoshikage Kira, 33 years old. My house is in the villa district northeast of Morioh town. I'm single.
I work for "Kameyu Chain Store", and I'm home by 8 at the latest.
I don't smoke, and I hardly drink at all.
I go to bed by 11PM so I can get at least 8 hours of sleep. I drink hot milk before going to sleep, do body stretching for about 20 minutes to relieve muscle stiffness, and that makes me sleep like a baby until the next morning.
Because of all that, I wake up every day without fatigue or stress.
Doctor told me I have no physical problems either.

Shigechi: What are you talking about?

Kira: I'm just trying to explain to you that I'm a guy who wants "peace of mind" all the time.

日本語

吉良：『勝ち負け』にこだわったり
　　　頭をかかえるような『トラブル』とか
　　　夜もねむれないといった『敵』をつくらない……
　　　というのが わたしの社会に対する姿勢であり
　　　それが自分の幸福だということを知っている……
　　　もっとも 闘ったとしても
　　　わたしは誰にも負けんがね
　　　つまり重ちーくん…君はわたしの睡眠を妨げる
　　　『トラブル』であり『敵』というわけさ
　　　誰かにしゃべられる前に……

重ちー：こっ これがッ!!

吉良：君を始末させてもらう

文法解説

自己紹介をスラスラ言える練習をしよう

自分の名前、出身や現在の住まい、職業、趣味や日課などをスラスラ言えるようになるためには、やはりひたすら声に出して練習することが大事だ。吉良のセリフを活用して、作文例を参考に自分自身のことに置き換えてやってみよう。

自己紹介（名前）

My name is 〜 が一般的な日本人の挨拶と違い、つねに自分（I）中心で物事を考えるネイティブの間では **I am 〜** のほうがよく使われる。特にカジュアルな相手の場合、このパターンでもパッと言えるようにしておこう。

自己紹介（家族構成）

We are a family of four. 「4人家族です」
I have 2 dogs — Chihuahua and French bulldog.
「チワワとフレンチブルドッグ、二匹の犬を飼っています」
I am married, and I have two kids — a daughter and son.
「結婚していて、子供は二人、娘と息子がいます」

私の名は『吉良吉影』年齢33歳

自宅は杜王町北東部の別荘地帯にあり結婚はしていない

(JC37巻)

平穏とは、男の守るべきルール

英語

Kira: I'm not being fussy about "winning or losing", "troubles", "enemies" or other nightmares, and I know the secret to my happiness, although I'm damn sure that I won't lose if I did fight.
Whatever it is, my friend Shigechi, you are my "trouble and enemy" that gets in the way of my peaceful sleep,
so before you start talking about me…

Shigechi: Damn it!

Kira: I will kill you.

単語・熟語

at the latest：遅くとも
be fussy：こだわる
whatever it is,：ともあれ、
get in the way：邪魔をする・妨げる

住まいに関して
I live with my parents.「両親と同居しています」
We recently bought a condo* in Funabashi.　*condominiumの略称
「最近船橋にマンションを買いました」
My house is a bit far from the nearest station.
「自宅は最寄りの駅からちょっと遠いです」

仕事・身分について
I study architecture at University.「大学で建築を学んでいます」
I'm a manga writer.「漫画家です」

趣味などについて
I like to go out for fishing on weekends.
「週末釣りをしに行くのが好きです」
I go to English conversation school once a week after work.
「週一で仕事の後英会話スクールへ通っています」
I love reading manga books, especially "Jojo's Bizarre Adventure"!
「マンガを読むのが大好きです、特に『ジョジョの奇妙な冒険』!」

COLUMN 1

英訳コミックを楽しむッ!

シーンを盛り上げる擬音は、状況に合った英単語を添えて表現! 名詞・動詞・形容詞フル活用!

英語版でも、描き文字はそのまま。かわりに描き文字が何を表現しているかが解るように英単語が併記されている。射撃音《BANG》のような定番訳や動作を表す音をはじめ、日本語の擬音をアルファベット化するなど翻訳手段は多彩。

VIZ Media 刊
英語版

第2章
ジョジョ的感情表現で英語を学ぶッ!

「怒り」「楽しい」「恐れ」「悲しみ」
「決意」「友情」「苦悩」「恋愛」
ジョジョキャラクターたちの
豊かな感情を英語で表現すると……
いざと言うときのために
マスターすべしッ!

怒 Anger/Rage
怒り

この岸辺露伴が金やちやほやされるためにマンガを描いてると思っていたのかァ———ッ‼

向こうへ行けよッ ぼくは君に感謝されたくって あいつらに向かって行ったんじゃあないぞッ!

Get the hell outta here! I didn't go into that fight just because I wanted some appreciation from you.

（JC1巻）

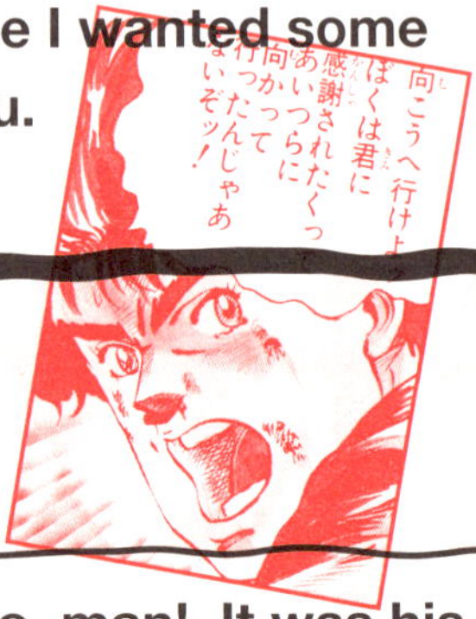

outta：out of の口語表現

ディオ！ ディオだな！ ディオが彼らにぼくの不利なデタラメをふき込んだのだッ

Dio! That was Dio, man! It was his nonsense that put me in a bind.

（JC1巻）

put in a bind：束縛する・がんじがらめにする

わたしは今きげんが悪い おまえのような下品者とは口もききたくないし 顔もみたくない

I'm in a bad place right now. I don't even want to be near a bastard like you.

（JC10巻）

おれはコケにされると けっこうネにもつタイプでな

I'm a person who holds a grudge when someone tries to make a fool out of me.

（JC15巻）

今のオレのチャリオッツは素早いぜッ！アヴドゥルを失った怒りでグツグツ煮えたぎっているからよォ―――ッ

mad：ここではveryの代用で「激・超」
piss off：怒っている

My Chariot right now is mad fast! I'm so pissed off about losing Avdol!!!

（JC26巻）

なぜ頭にくるか自分でもわからねえ！きっと頭にくるってことには理由が ねえーんだろーなッ！本能ってやつなんだろーなッ！

I don't know why I get angry! Maybe I don't need a reason! It's just a matter of instinct!

（JC29巻）

この岸辺露伴が金やちやほやされるためにマンガを描いてると思っていたのかァ―――――ッ!!

Don't tell me Rohan Kishibe is writing Manga for money or fame!

（JC34巻）

楽 Happy/Happiness
楽しい

> ハッピー うれピー よろピくね———
>
> Happy, happy, happy to see you!
>
> （JC7巻）

> 生き残るためには手段は選ばんもんネ———
> ボクちゃん………ルンルン
>
> picky：えり好みする
>
> I'm not picky when it comes to my survival. I feel so good!
>
> （JC11巻）

> ね いい国でしょう
> これだからいいんですよ
> これが！
>
> ain't = am / is / are / has / have + not の口語表現（ここでは isn't）
>
> It's an awesome country, ain't it? This is exactly why I dig it here!
>
> （JC15巻）

> なんだか！ なんだか！ すっごく楽しい事を
> している気がするけど 子供だからわからないッ
>
> Wow! Wow! I feel like I'm having tons of fun, but I'm still too young to understand why!
>
> （JC22巻）

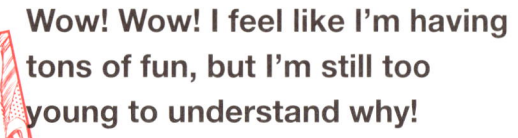

10時間熟睡して 目醒めたみてェーなバッチしの気分だぜェ──ッ!!

I feel so good, it's like waking up after sleeping for 10 hours straight!
（JC33巻）

おもしろいッ! ぼくはマンガ家として最高のネタをつかんだぞッ!

This is the bomb! The cartoonist has got some killer stuff!
（JC34巻）

生まれてこの方…ジャンケンで勝ててこんな うれしかったことはないよ!

I've never been so happy in my life winning at Rock-paper-scissors!
（JC40巻）

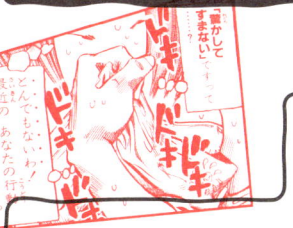

とんでもないわ! 最近のあなたの行動 すごくドキドキするわ……………

Off the hook! Everything you do lately makes me so excited.
（JC40巻）

恐 Fear
恐れ

か…怪物を生み出したのか……
あの石仮面は!
……正直ぼくはこわい

That…that Stone Mask created a monster!!? Honestly, I am freaked out.

（JC2巻）

なにより おっかねーのは こ…この執念!

The most horrifying is this deep attachment that he's got!

（JC10巻）

は……発想のスケールで
………
ま………………
まけた

I surrender myself to his insane imagination.

（JC11巻）

insane：並外れた・正気でない

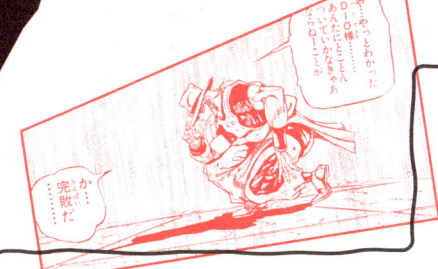

や…やっとわかったDIO様………
あんたにとことん
ついていかなきゃあならねーことが
か…完敗だ………

I got you now, Master DIO…
I have no choice but to follow you. I surrender.
（JC22巻）

異常な野郎だッ！　執念深いなんてもんじゃあねーッ！
「殺りく追跡機械(マシン)」だぜ!!

This guy is crazy! He just never gives up! This guy is a "Killer tracking machine"!
（JC24巻）

てめーのその「右手」……なにかあるな！
なんか「やばい」って直感が走ったんでなあ〜っ

There's gotta be something about that "right hand"! My intuition is giving me warning signs!
（JC30巻）

Sorrow/Grief
悲しみ

さびしいよ…………
ああ ぼくは こうして悲しみのまま
涙ですぶぬれになって死んで行くんだ
でも 誰もぼくの亡骸を見ても泣いて
くれないだろうな…………
ため息ぐらいついてくれるかな

I feel so sad…Ah…I'm going to die, soaked with tears of sorrow. But I suppose nobody would cry for me even looking at my remains.
I hope at least I hear some sighs of grief, though.

(JC1巻)

ああ〜〜〜〜これはわたしの
役じゃあない…決してェェェェ

No…This is not my part…definitely not.

(JC22巻)

なんのトラブルもない…人生を送
るはずだったのに………
ちくしょう…ミスったぜ…

blew : blow の過去形で
ここでは〈チャンス〉を「吹き飛ばした」

I should have lived a peaceful life…damn it…I blew it.

(JC24巻)

だめだ………実力の差がはっきりしすぎている……これじゃあ…甲子園優勝チームにバットも もったことがない茶道部かなにかが挑戦するようなもの…みじめ…すぎる……

No way…the gap between our abilities is too big…This is like tea ceremony club members holding baseball bats for the first time, trying to challenge the Koshien baseball champion team. It's miserable…

（JC25巻）

ぼくは「裁いて」ほしかった…
あいつを誰かが「裁いて」ほしかった

I wanted him to be "judged".
I wanted someone to "judge" that guilty guy.

（JC47巻）

guilty：有罪の

ああ！ わかったよ！ 最後だから本心を言ってやるッ！
さびしいよ！ ぼくだって行ってほしくないさ！

Okay, okay! I'll tell you how I feel at heart because this is going to be the last chance. Yes, I AM sad, and I also don't want you to go!

（JC47巻）

決 Determination
決意

ぼくは父を守るッ!
ジョースター家を守るッ!

I will protect my father! I will protect the Joestar family!

（JC1巻）

わしは花京院を信頼しておる!
なにか理由があるはずじゃ! 理由がッ!

I trust Kakyoin! There must be a reason, a good reason for it!

（JC15巻）

わたしは いかなる時も油断はしない
赤子であろうと「魂」を賭けた相手は全力でやっつける!

I never fail to be on top of it, whenever or wherever. Even if it's a tiny baby, I will knock down whoever would bet their "spirit"!

（JC25巻）

おれがじじいのかわりだ

grandpa：grandfather の略語

I'm replacing grandpa.

（JC30巻）

I...I gotta tell him about this! I gotta get this terrible news to Mr. Joestar, by all means... otherwise, we'll all go down...

(JC27巻)

つ…伝えなくてはこのことをッ！この恐ろしい事実をなんとかして…なんとかしてジョースターさんに伝えなくては……っ このままだと……みんなが負けてしまう……

落ちつけ…落ちついて考えるんだ わしにはパニックという言葉はない…何か見つけるんだ……何かやつに切り込む対策を…

Calm down...calm down and think. I don't know the meaning of the word "panic". I gotta find something...find some way to cut our way into him.

(JC27巻)

あなたたち生きてる人間が町の『誇り』と『平和』を取り戻さなければいったい誰がとり戻すっていうのよッ！

If all of you that are still alive are not going to get back the "dignity" and "peace" of this town, who the hell else is ??!!!!

(JC36巻)

友 Friendship
友情

> おめーの心 確かに受けとった!!
> だがな ヤツらに対しては
> とことん鬼になってやるぜ！
>
> I definitely got your spirit!! But my demon heart will give them no mercy!
> （JC10巻）

no mercy：情け無用・無慈悲

> それは　仲なおりの「握手」のかわりだ　ポルナレフ
>
> That was to replace with a "handshake", we're back on the same team, Polnareff.
> （JC16巻）

> おれっていつもそうだ…いなくなって はじめてわかるんだ
> ひねくれたクソ犬と思ってたけれど どんな人間にも
> なつかない つっぱった おめーが好きだった………… 
>
> I'm always like this…It's always when I lose it that I come to realize it. I always thought you were such a twisted dog, a lone wolf who would never take to people, but I liked that…
> （JC26巻）

something to be said:「言うに足ること」　あの幽霊の『生き方』には尊敬するものがある

There is something to be said for that ghost's way of life.

(JC36巻)

「友情」つーもんは何かを通して育てていくもんだと思うのよ

hardship：困難

I always say "friendship" is something that you wind up with after going through hardships.

(JC36巻)

それに…今のこの気分…
「怒ったらいいのか」
「悲しんだらいいのか」……
それさえも分からね——
イラつきが あんだよ………

And it's irritating because we don't even know how to feel, whether to be mad or sad.

(JC37巻)

からかわれていると思うのは 無理もない
でも それでも戻って 確かめに来てくれた…
やっぱり君は親友だった

I wouldn't blame you for thinking that you were teased. But still, you came back here to check in. You were my friend after all.

(JC44巻)

苦 Anguish
苦悩

リサリサ先生 たばこ逆さだぜ

ああ！ う…美しすぎます！
みず知らずの女性の赤ちゃんを
救って避難しろとおっしゃるの？……

Oh, my goodness…How beautiful it is…You're asking me to leave here saving a stranger's baby!?
（JC5巻） 

ね……ねじまがったか ストレイツォ

Are you out of your mind, Straizo?!
（JC6巻）

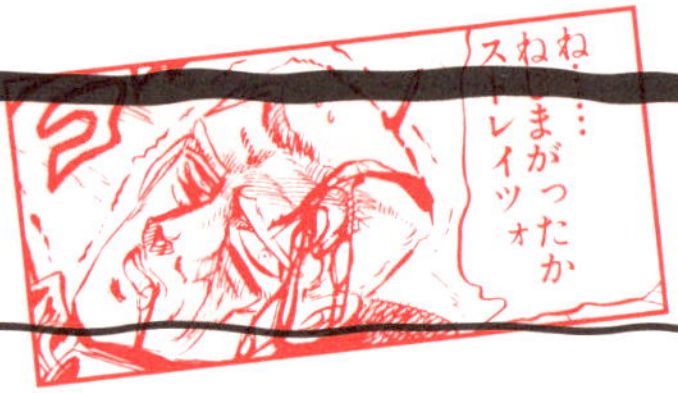

リサリサ先生 たばこ逆さだぜ

Madam Lisa Lisa, your cigarette is backwards.
（JC10巻）

人間関係「無理なもんは無理」ってやつだよなぁ～

Well, when it comes to personal relationships "if you couldn't, you couldn't".
（JC34巻）

DIOを見て 動けない自分に気づき
「金しばりにあっているんだな」と思うと
ますます 毛が逆だつのがわかった…胃がケイレンし
胃液が逆流した ヘドをはく 一歩手前さ！

When I saw DIO and found out I couldn't move and thought, "I'm spellbound", my hair was standing on end. A spasm struck my stomach and I was just about to puke.
（JC25巻）

確実！　そうコーラを飲んだら
ゲップが出るっていうくらい確実じゃッ！

For sure! It's as sure as burping when you drink coke!
（JC27巻）

ぼくは承太郎さんを『人生の教師』と
思うべきだったのだ！
『厳しい教師』と理解すべきだったのだ
…………

I should have regarded Jotaro as my "life coach"! And considered him a "strict teacher" as well.
（JC38巻）

愛 Love
恋愛

ねえ ひと言…
「うれしい」と言っておくれよ

Please, just tell me one thing… that you're "happy".
(JC1巻)

ねえ ジョジョ 意外とイカす顔してるわよ

happening：「かっこいい」

Hey, JOJO, you look pretty happening, man.
(JC9巻)

一度 あんたの素顔を見てみたいもんだな おれの好みのタイプかもしれねーしよ 恋におちる か も

Just once I wish I could see your face just the way you are. You could be my type, and I could even fall in love with you.
(JC20巻)

ジョセフ・ジョースター 最後に言うけど あなた なかなかステキだったわよ

Joseph Joestar, I'm telling you for the last time. You were pretty cool.
(JC22巻)

康一くんの『心（ハート）』はすでに
あなたのことを好きなハズだわ……
でも康一くんの理性があなたを
こばんでいるのよ

You already got Koichi's "heart". It's just that his "head" is not accepting you.

（JC38巻）

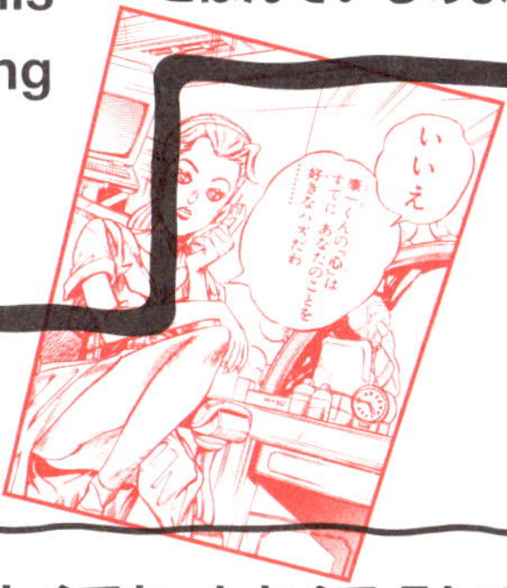

やさしくてあったかくて そして大きい…
さすがだ…さすが あっしが見こんだお人ですぜ

You are gentle, warm and also huge. You're exactly the man I knew you were.

（JC31巻）

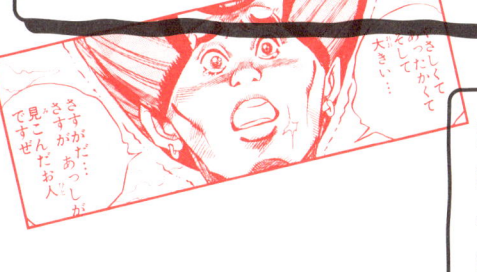

ぼく由花子さんのこと好きに
なっちゃったもんで
そうなるの…すごくやなんです
だから ぼくが見なけりゃ済むこと
だろうと思うもので………

be into：〜に夢中

In fact, I'm already into Yukako, so I really don't want it to be like that. So I thought it would work out best if I just didn't see her at all…

（JC38巻）

Other Feelings
その他

この勝負…ついてるネ のってるネ

I've got luck on my side in this fight.

(JC11巻)

さっきもいったが 君は つかれているッ! ゆっくり休んで あしたの朝 また落ちついてから 話をしようじゃないか…

I told you, you're wasted!
Sleep it off and let's talk about it in the morning when you're relaxed.

(JC18巻)

つまり こういうことか?
『我々は おまえを倒さないかぎり 先へは進めない………』

So is this what you're trying to say?
"We can't move forward unless we beat you…"

(JC25巻)

ジョースターさん…身内は いなくても
フランスは おれの祖国なんです
…故郷には思い出がある どこへ行っても
必ず 帰ってしまうとこなんです

Mr. Joestar, even if I don't have a family there, France is still my homeland. Your hometown is where you have all the good memories. It's a place where you always go back to, wherever you go.

（JC28巻）

『罪』ってのはよぉ〜 そうなるような事をしてりゃあよぉ〜
どっかから 廻り廻って『罰』がやって来る

A "sin" is something that always finds its way back to you, if you do something evil.

（JC33巻）

ぼくの「スタンド」
『ヘブンズ・ドアー』………
自分の『遠い記憶』と……
『「運命」は読めない』………
………か

It seems like my "Stand", "Heaven's Door" can't remember my own distant memories and "can't predict my own fate".

（JC36巻）

COLUMN 2

英訳コミックを楽しむッ！

ジョジョにおける独特なセリフは、日本語をローマ字表記に変換！ 本能の叫びはそのまま伝える！

RERO RERO RERO RERO RERO RERO RERO RERO...

MUDA MUDA MUDA MUDA MUDA MUDA MUDA MUDA MUDA MUDA MUDA MUDA MUDA MUDA!*

HORA HORA HORA HORA HORA!

ORA ORA ORA ORA ORA ORA ORA ORA ORA ORA-!!

特徴的なセリフはあえて英訳せず、ローマ字表記になっている。ただし「無駄無駄」はコマの外に《MUDA=JAPANESE FOR"USELESS"OR"IT'S NO USE"》と記載し、言葉の意味を伝えている。

VIZ Media 刊
英語版

第3章
キメゼリフで英語を学ぶッ!

スピードワゴンの
「スピードワゴンはクールに去るぜ」や
承太郎の「てめーはおれを怒らせた」など、
キャラクター別に「これぞ」という
キメゼリフを英語で学ぶッ!

Jonathan

ジョナサン

> But I'll beat them some day!

でも いつか
勝てるようになってやる!

'til : until の略語

> I'll beat you 'til you cry!

君がッ 泣くまで 殴るのをやめないッ!

> I'm fighting on a different level from you!

君らとは闘う動機の「格」が違うんだ!

I get it, Mr. Zeppeli.
"The north wind created
the Vikings", right?

わかりました ツェペリさん…………
「北風がバイキングをつくった」ですね?

We can't let Dio kill anymore!

これ以上ディオに殺戮を許すわけにはいかん!!

It's not a
damn "plan"!
It's "courage"!

「策」ではないッ! 「勇気」だ!!

My youth was with Dio!
Now, I'm going to put
an end to that youth!

ぼくの青春はディオとの青春!
これから その青春に決着をつけてやるッ!

My heart is pounding! This burning heart!

ふるえるぞハート！
燃えつきるほどヒ————ト！！

(JC3巻)

I'm back from hell, Dio!

地獄から　もどって来たぞ
ディオ！

(JC4巻)

I will purge your dirty soul!

浄めてやるッ
その穢れたる野望！

(JC5巻)

You...can cry for me... but you must live...

泣いてくれても……いい……
でも…君は……生き…なくて…
…は…ならない……

(JC5巻)

Zeppeli
ツェペリ

> Ask me questions one at a time, JOJO

質問は ひとつずつに
してくれないかね JOJO………

(JC3巻)

> It's your fate to fight against the "Stone mask".

君はもう すでに「石仮面」と
戦う運命にあるッ!

(JC3巻)

> I hereby initiate JOJO into my supreme Arcanum. JOJO, take it!, together with my will!

わが究極の奥義…ジョジョに捧げる
ジョジョ 継いでくれ わしの意志を———!!

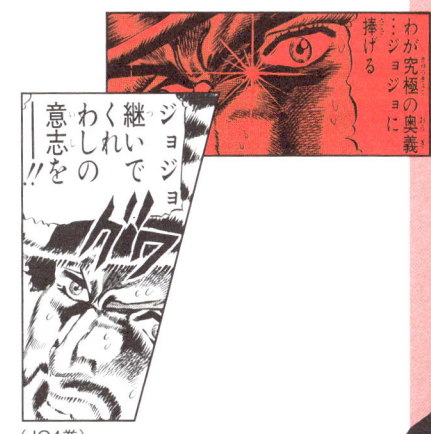

(JC4巻)

Speedwagon

スピードワゴン

Nosy Parker：おせっかいもの

Let me introduce myself as I see the "Who is this guy?" look on your face. I'm Speedwagon the Nosy Parker!

「誰だ？」って聞きたそうな表情してんで
自己紹介させてもらうがよ
おれぁ おせっかい焼きのスピードワゴン！

（JC2巻）

scumbag：クズ・カス野郎

(Ugh!) This guy stinks! He's a scumbag!

こいつはくせえーッ！
ゲロ以下のにおいが
プンプンするぜ———ッ!!

（JC2巻）

Say goodbye to Speedwagon.

スピードワゴンはクールに去るぜ

（JC2巻）

Other Characters Part 1

ポコ／エリナ

sis : sister の略語

> Sis!
> Tomorrow is here!

ねーちゃん！
あしたっていまさッ！

（JC4巻）

> It's not the pain
> I'm scared of...

こ…こわい……の…は
いたみじゃあ…ないぜ………

（JC4巻）

> I've grown up?!!!
> That's you!

まあ 大きくなったですって？
それは あなたの方ですわ！

（JC2巻）

Joseph

ジョセフ

> Umm...how should I explain…
> I gave him that wallet, officer.

あの なんていうか あのですね
そのサイフは わたしが彼に
あげたものですよ おまわりさん

(JC5巻)

> I only move aside
> when there's shit
> in my way.

おれがどくのは道にウンコが
おちている時だけだぜ

(JC8巻)

> Anyway, it seems like
> I'm involved in hell of
> a mess.

ともあれだ…
とんだ修羅場に巻き込まれちまったようだな

(JC6巻)

Sun Tzu's Art of War, a military treatise, was written 2500 years ago, and it says, "Every battle is won before it is ever fought."

二五〇〇年前の中国の兵法書に
「孫子」ってのがあって こう書かれている
『勝利というのは戦う前に全て
すでに決定されている』

（JC9巻）

I'm telling you again, you can't even beat a pigeon!

もう一度いうぜ
てめえは「ハトにさえ勝てねえのさ」!

（JC7巻）

I have to think of something, but it's a pain in the ass! I wish I had an easy way out.

なんか考えなくっちゃあなッ
でも 努力するのは嫌いでめんどっチィーし!
なんか楽シテ身につく方法は
ねーもんかなあ〜〜〜

（JC7巻）

No need for that! There no need at all for me to go get it!

その必要はない!
ひろいに行く必要はぜんぜんねーのよ!!

（JC8巻）

But I do pay my respect to his life!

こいつの生命にだけは 敬意をはらうぜ!

(JC9巻)

I changed my mind! Caesar Zeppeli, if you are saying you're going for a daylight fight, I'm going in with you, too.

気が変わったぜ! 昼間決戦を 挑むというなら おれもいっしょに乗り込むぜ シーザー・ツェペリ!!

(JC10巻)

For sure, you were a great warrior, Wamuu... But I had Caesar with me. He had my back until the end.

ワムウ きさまは戦士としてはスゴかった… だが おれにはシーザーという 強い味方が最後までついていたのさ

(JC11巻)

That's right! Everything this JOJO does is carefully thought out in advance!

当りまえだぜッ! このJOJOは なにからなにまで計算ずくだぜーッ!

(JC12巻)

Caesar

シーザー

I'll cast a spell
on your necklace,
so that you'll fall in love.

**ネックレスにおまじないをするよ
君に愛の魔法がかかるように**

(JC7巻)

JOJO! Stay back!
I'll get rid of them!!

**ジョジョオオオオ
おまえは ひっこんでろォ
—————————!
おれが片をつけるッ!!**

(JC7巻)

I know about the traps.
That's actually why I'm here.

**ワナがあるなどオレは百も承知だ……
知っているからこそ来たのだ…**

(JC10巻)

Lisa Lisa

リサリサ

> But! You must "be prepared for death" to have full-on skills within a month.

しかし！
ひと月で一人前の実力になるには
『死の覚悟』が必要なり！

(JC8巻)

> JOJO, I won't allow you to grieve for Caesar or to search for his body.

JOJO シーザーを悲しむのも
さがすこともゆるしません…

(JC10巻)

> I think I will take the flashy one, Suzi Q.

ハデな方に決めようかしら
スージーQ

(JC9巻)

Stroheim

シュトロハイム

Will there be kids frightened with a grey-haired bear inside the cage at a zoo? No way!

動物園の檻の中の灰色熊(グリズリー)を
怖がる子供がおるか？
いなァァァ～～～いッ！

(JC6巻)

But our German Medicine & Pharmacy is the best in the world!

だが我がドイツの
医学薬学は世界一ィィィ！

(JC6巻)

philosopher：思想家（プルタルコスは「(歴)史家＝historian」でもあるが、思想家としての言葉のため）

"Courage consists not in hazarding without fear, but being resolutely minded in a just cause."
– It's a quote from the Greek philosopher, Plutarch.

人間に偉大さは―恐怖に耐える誇り高き姿にある―
ギリシアの史家プルタルコスの言葉だ

(JC7巻)

Other Characters Part 2

メッシーナ／エリナ

> I know it's tough, but we gotta focus on protecting Lisa Lisa and the Red Stone! We don't have time to get sentimental!

つらいことだが！
我われが考えねばならぬことは
リサリサと赤石を守ること！
感情におぼれている時ではないッ！

(JC9巻)

> Difference of opinions is not an issue. What I can't handle is that he insulted our friend in public! Teach him a lesson but without bothering the customers here!

個人の主義や主張は勝手！
ゆるせないのは私どもの友人を公然と
侮辱したこと！ ほかのお客に迷惑をかけずに
きちっとやっつけなさい！

(JC5巻)

Jotaro

空条承太郎

piss：小便をする

> Wrong. I was just thinking that it would be nasty because you won't be pissing your pants alone when I beat you since we're sharing the same water, old man!

ちがうね おれが考えてたのは
てめーがやられた時 小便ちびられたら
水中だからキタネーなってことだけさ
おっさん!

(JC14巻)

> They'er what you owe me. You're gonna have to pay. I was taking notes because I tend to space out.

おまえに かしてるツケさ
必ず払ってもらうぜ…
……………忘れっぽいんでな
メモってたんだ

(JC18巻)

> You can't pay off your sin with money!

てめーのつけは 金では払えねーぜッ!

(JC18巻)

You have the honor to be beaten up by Jotaro Kujo in person.

てめーは この空条承太郎が
じきじきにブチのめす

（JC19巻）

You're wrong. "Your future" is something you carve out by yourself.

ちがうね……………
『道』というものは 自分で切り開くものだ

（JC17巻）

Well, well, they were definitely hard teeth, but I smashed them. They were like diamonds that lacked calcium.

やれやれ
ま…たしかに 硬い歯だが たたき折ってやったぜ……
ちと カルシウム不足のダイヤモンドだったようだな

（JC20巻）

I told you. I'm not going to overlook your cheating from here on in.

言ったはずだ
これからのイカサマは見のがさねえとな

（JC23巻）

Hey, answer me.
Because I loved "Columbo"
so much when I was a kid,
I can't even sleep at night
when I start freaking out
about small things.

なあ答えてくれ 子供の頃
『刑事コロンボ』が好きだったせいか
こまかいことが気になると夜もねむれねえ

(JC17巻)

I "raise" with
my mother's "soul".

「上のせ」するのは おれの母親の「魂」だ

(JC23巻)

There's just one reason
you lost, DIO.
Just one simple reason...
"You got on my nerves."

てめーの敗因は…たったひとつだぜ……
DIO…たったひとつの単純な答えだ………
『てめーは おれを怒らせた』

(JC28巻)

Joseph

ジョセフ

> I will always run to you, wherever you are on this earth within 24 hours when my one and only daughter is in trouble!

わしは ひとり娘のおまえが困っているなら 地球上どこでも24時間以内にかけつけるつもりチャ！

bud：1) 芽、2) buddy の略表記

> Well, now that the meat bud is gone, he's become a neat bud.

と！ これで 肉の芽がなくなって にくめないヤツになったわけじゃな ジャンジャン

keep the faith：信念を貫く

> I, Joseph Joestar, never abandoned a battle itself in the middle since I was young even though I sometimes do run away as part of the strategy. I'll keep the faith!

このジョセフ・ジョースター 若いころから作戦上逃げる事はあっても 戦いそのものを途中で放棄したことは決してない このまま………ガンガン闘うッ！

(JC13巻)

(JC14巻)

(JC22巻)

Avdol

アヴドゥル

> Don't you think it's a little premature for you to challenge a fortune-teller with a prediction?

占い師のわたしに予言で闘おうなどとは
10年は早いんじゃあないかな

(JC14巻)

> Well, long-time-no-see, my good friend!
> Why don't you join me for a leak?

いっちょ！　ひさしぶりに男の友情！
ツレションでもするかあッ！

(JC19巻)

> Yes, this is it. This is exactly Muhammad Avdol's image! This kind of role perfectly matches my character just right! Ha ha ha!

これですよ これ！
これこそ このモハメド・アヴドゥルのイメージ！
こういう役こそ わたしのキャラクターです！　ハハハハハハ

(JC22巻)

Kakyoin

花京院典明

spanking：「おしりペンペン」

> Okay baby, it's time for a spanking.

さあ お仕置きの時間だよ
ベイビー

(JC19巻)

> It's a pretty good idea to know yourself, but I'm afraid you knew too little about your enemy. You'd better go back to school.

おのれを知るという事は なかなか
いい 教訓だが おまえは敵を
知らなすぎたようだな 勉強不足だ

(JC18巻)

un-：否定の接頭語の一つ。

> I'll make my Stand unnoticeable like before. Yes, I'll unmask DIO completely unnoticed!

こいつを昔のように 誰にも気づかせなくしてやる
そう！ DIO の正体をあばき 倒すため
完璧に気配を消してやろう

(JC27巻)

Polnareff

ポルナレフ

> I will cut you in pieces – except there!

おれはてめーの
そこ以外をきり刻む！

(JC15巻)

> Listen! This is what you should say before you fight when you want to take revenge.

いいか…こういう場合！
かたきを討つ時というのは
いまからいうようなセリフをはいて
たたかうんだ……

(JC16巻)

> I can't waste my time shedding tears.

今のおれには悲しみで泣いている
時間なんかないぜ

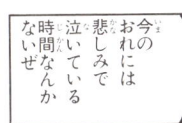

(JC26巻)

Other Characters Part 3

イギー／スージー・Q／ホリィ

Oh, oh, man… I can't just watch and let die a kid who loves dogs!

やれやれ…犬好きの子供は見殺しには……
できねーぜ！

You gotta believe Jotaro and Joseph. Get well, and you can become back to the family again.

承太郎とジョセフを信じるのよ
必ず元気になって そして 家族が また
いっしょになれるわ…………

They're coming back, mom! Dad and Jotaro! They're coming home!

2人が帰ってくるのよ ママ！
パパと！　承太郎よッ！
2人が帰ってくるわッ！

(JC24巻)

(JC26巻)

(JC28巻)

Josuke

東方仗助

be in place：決まった場所にセットされる

My plan is already in place.

おれの作戦はよ————
すでに終了したんだよ————

（JC30巻）

Bingo?
That's great!
Do I get any prize if I beat him worse?

大当たり？
そいつはグレートだぜッ！
景品もらえっかよぉ～
もっとブチのめせばよぉ～っ

（JC33巻）

That means you're the "enemy"…
You knocked each other down at the same time.

つまり てめーが『敵』だ…
『相討ち』になったんだ！

（JC39巻）

You…you didn't scare me at all, you idiot!

お………おまえなんかぜんぜん怖くなかったぜ
バ〜〜〜〜〜〜カッ

(JC39巻)

An impact that would even blow the Stand to the moon…

スタンドも月までブッ飛ぶ　この衝撃…

(JC38巻)

Rohan Kishibe, I never thought you would save me. It was something that I "never" thought would happen, and that was really cool!

岸辺露伴　おまえが…オレを助けるとはよぉ〜〜〜っ
まさか………「まさか」って感じだがグッときたぜ‼

(JC41巻)

Wow! Now that's more like it! I feel like fresh underwear on a New Year's Day morning!

スゲーッ　爽やかな気分だぜ
新しいパンツをはいたばかりの正月元旦の
朝のよーによォ〜〜〜〜〜〜〜〜〜〜ッ

(JC42巻)

elementary school：小学校(米)。または primary school(英)。

You're cracked up,
Hayato Kawajiri.
You got some serious guts…
Kid, are you really from
elementary school?

プッツンしてるぜ〜…………川尻早人……
おめ〜〜の そのブッ飛んでる根性…
まじに小学生かよ…小僧〜〜〜!!

(JC46巻)

daydream：白日夢(を見る)

Come on, stop daydreaming!!!
Shut your trap!
Wake up if you're alive!!!

のん気して夢なんか見てんじゃあねーゼェ———ッ!
やかましい! 生きてんならよォ〜〜
さっさと 目を醒ませ〜〜コラァ〜〜〜ッ!!

(JC46巻)

I knew you'd say, "No way."

やはり おめーのセリフはよォ〜〜〜〜ッ
『バカな』だったなぁ〜〜〜っ

(JC43巻)

I'll keep this! A good papa
would leave some pocket
money for his son, right!!?

もらっとくぜ———ッ 父親ならよォ〜
息子にお小遣い
くれてくもんよねェ〜〜〜〜〜〜〜ッ!

(JC47巻)

Okuyasu

虹村億泰

"This guy killed my brother!"
"I'm going to put an end to this!"
That's the only truth! It's the only truth "in my heart"!

『こいつは兄貴を殺した』！　『おれがケリをつけてやる』！
真実は それひとつだッ！
オレの『心の中』のよぉ〜〜〜〜〜〜っ

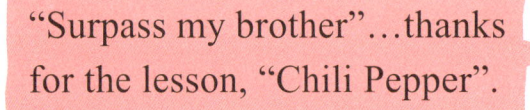

(JC33巻)

"Surpass my brother"…thanks for the lesson, "Chili Pepper".

『兄貴を越える』か……
学ばしてもらったよ……『チリ・ペッパー』

(JC33巻)

You know, I always wonder where in the world the things that my "right hand" of "The Hand" scrapes away go.

いっつもよォー 不思議に思うんだゼェ〜〜〜
オレの この『ザ・ハンド』の「右手」よォ〜〜
けずり取ったモノは いったい
どこへ行っちまうんだろう？　ってなあ〜〜〜っ

(JC46巻)

Koichi

広瀬康一

> This time only,
> it's ok that he doesn't repair it.

今回だけはねー なおさないから
いいんじゃあないか……………

（JC34巻）

> It's that really tough character.
> You must be Yukako.

その性格なんだなぁ～～～
その ものすごくタフな性格………
間違いなく由花子さんだよ

（JC38巻）

> Why would I have to wish,
> "I'd be happier looking for
> a public restroom with the
> runs" if I can get out of here
> and return safely?

どうして ここから無事で帰れるのなら
『下痢腹かかえて公衆トイレ捜しているほうがズッと幸せ』って
願わなくっちゃあならないんだ………………？

（JC38巻）

Jotaro

空条承太郎

There's something evil in this town. Something very evil is coming close to you.

この町には何かが潜んでいる 何か…
やばい危機がおめーの周りにせまっているぜ

（JC29巻）

（JC29巻）

Well, I suppose it was his character, not the speed of his Stand that I couldn't catch up with.

しかし やれやれ………ついていけないのは
このスタンドのスピードではなく
こいつの性格のようだぜ

Keep it together, Josuke!

気合い入れろよ〜〜!!　仗助……

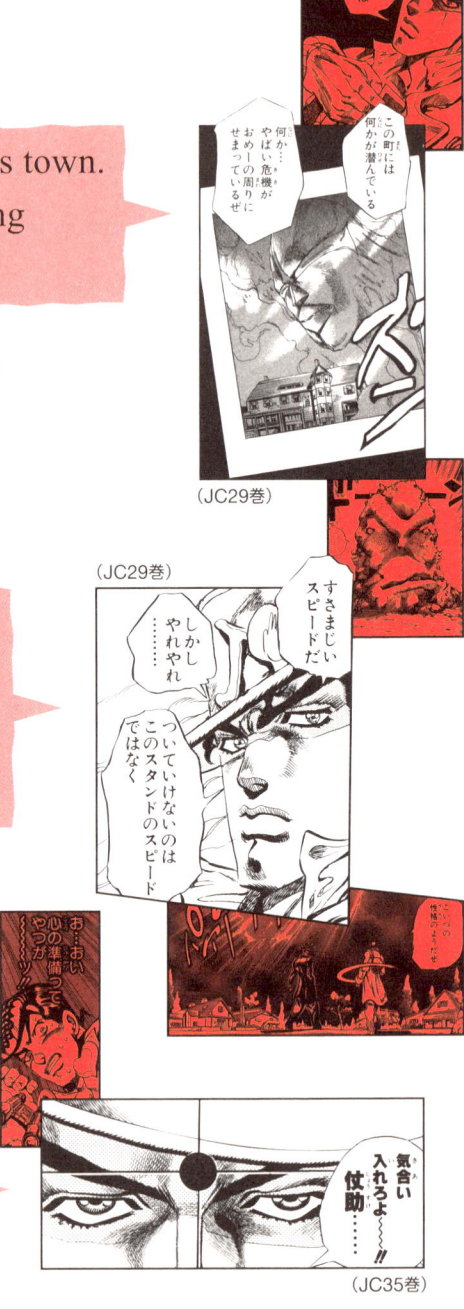

（JC35巻）

Koichi, mentally you were superior to this man.

康一くん……君は精神的には
その男に勝っていたぞ………

That's a nice watch you've got there. But I'll smash it… smash your face so bad you won't be able to see the time.

いい時計だな だが もう時間が見れないように
たたっこわしてやるぜ………
きさまの顔面の方をな…………

I take that back about your watch which looks like a piece of crap, but you don't have to worry about that anymore because it's going to look even crappier…I mean the shape of your face will get uglier.

よく見たら やれやれ 趣味の悪い時計だったな……
だが そんなことは もう気にする必要はないか…
もっと趣味が悪くなるんだからな………
顔面の形の方が………

He was much "better".
I should say, "Like father, like son."

ヤツの方が『上手』だった…………
あの父親にして あの『息子』ありといったところだ

Rohan

岸辺露伴

"Only to be read by readers"
– It's just for that purpose.
It's the only simple reason, and
I don't care about the rest.

『読んでもらうため』ただそれだけのためだ
単純なただひとつの理由だが
それ以外はどうでもいいのだ！

(JC34巻)

murderer：殺人者

But chasing the "murderer"
seems like fun!
I think I can come up
with a great "manga".

でも『犯人』を追って 取材するのもいいかもな！
おもしろそうな「マンガ」が描けるかもしれん

(JC36巻)

Listen up!
"The most difficult thing"
is to "go beyond your limits".
I will now go beyond my "luck"!

いいかい！　もっとも『むずかしい事』は！
『自分を乗り越える事』さ！
ぼくは自分の『運』を これから乗り越える！！

(JC40巻)

Reimi

杉本鈴美

pretzel：プレッツェル

It's "Pretzel reading".
Do you believe in "fortune-telling"?
It can tell the fortune by seeing how it breaks.

「ポッキー占い」よ
「占い」信じる？　折れた感じで占うの……

(JC35巻)

Yes…the "girl" is me.
Arnold and I, we are "ghosts".

そう…その「女の子」ってのはあたしなのよ……
『幽霊』なの………アーノルドとあたしは………

(JC35巻)

Did you think I wouldn't imagine that you would do me like this?
Is that what you imagined?
We weren't just waiting around for 15 years doing nothing!

あたしが予想しなかったと思う？
あんたが あたしに対し こういう風にするだろうという事を予想しなかったと思う？
わたしたちは15年…あんたが ここに来るのを 待ってたのよ

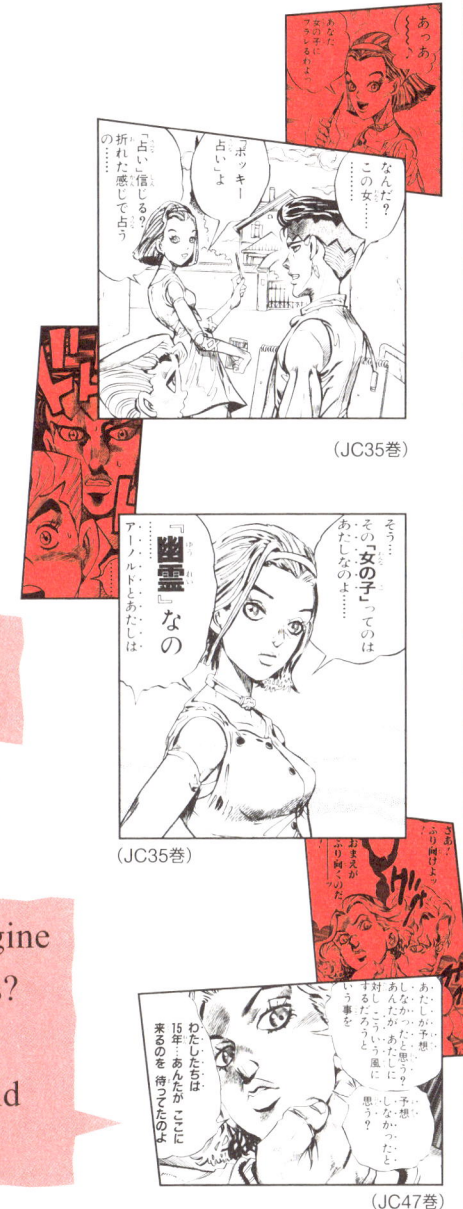

(JC47巻)

101

Hayato

川尻早人

It wasn't by coincidence and it wasn't fate either! This was a "bet"! I made a "bet"! I "bet" that you would come early (and you did!)

偶然なんかじゃあない…運命なんかでもない！　これは「賭け」だ！
ぼくが「賭け」たんだッ!!
ちょっぴり早く来させる事に「賭け」たんだッ！(そして来た！)

(JC45巻)

I did it! I made it! I beat "fate"!

やった！　間に合った！「運命」に勝った！

(JC45巻)

Compared to the "Justice heart" we have here now, "fate" that would take sides with you, and the "chance" that you can win can only become small powers!

おまえに味方する「運命」なんて………おまえが
乗れるかどうかの「チャンス」なんて………
今！　ここにある「正義の心」に比べれば
ちっぽけな力なんだッ！

(JC46巻)

Joseph

ジョセフ

So that's how it goes…
so he won't talk about me…

そうか………話はしないか…

(JC34巻)

I just wanted to show off in front of you.

カッコつけたかったんじゃよ おまえの前で

(JC34巻)

Whether people like or hate you depends how you carry your mind.

人から好かれるとか嫌われるっていうのは
ほんの微妙な気の持ち方からじゃと
思うんじゃ……

(JC37巻)

Other Characters Part 4

トニオ／未起隆／噴上裕也

raison d'être（仏）：生きがい。尚、chef も仏語で英語では chief（直訳）・cook（意訳）

> What else is important to a chef?
> That is my raison d'être.
> That is all I desire.

**料理人にとって他に何があるっていうのでショウ？
ソレが ワタシの生きガイでス ワタシの望ム全てデス**

（JC33巻）

> I did it to show you that "I can do a little too when I should", and to tell you, "Now, do you think a bit better of me?"

『ぼくだって少しはやるんだぜ』『ちょっとは見直したかい』……って思ってもらうためにやったんです

（JC43巻）

> If…it were my stupid girlfriends that always cheer me up……if they were the ones changed into "papers"…If I think it happened to any one of them, man, I would have done the same!

これがもし！「紙」にされたのがもし！ バカだけどよォー おれをいつも元気づけてくれる あの女どもだったらと思うと…あの女どもの誰かだったらと思うと てめー おれだってそうしたぜ！

（JC43巻）

第 4 章
敵の名ゼリフで英語を学ぶッ!

ディオの「貧弱貧弱ゥ」をはじめ、
敵キャラクターの放つ
名ゼリフ。
普段用いないような英語の表現も
これでバッチリだ。

Dio

ディオ

> That scumbag deserves no honor!

あんなクズに名誉などあるものかァ――――ッ!!

(JC1巻)

> Weakling! Weakling!

貧弱! 貧弱ゥ!

※50ページのコラム参照

> Muda! Muda!

無駄 無駄ッ!!

(JC2巻)

(JC2巻)

> Most people have goodwill in mind and that becomes a minus for them! That's why they can't be adventurous and take action! They fear the great evil!

たいていの人間は心に善のタガがあるッ!
そのため思い切った行動がとれんッ!
すばらしい悪への恐れがあるのだッ!

(JC3巻)

> The sun has gone down. It's time for your life to go down, too.

陽は落ちた…………
きさまの生命も没する時だ!!

> Do you remember how many pieces of bread you've eaten in your life so far?

おまえは今まで食ったパンの枚数をおぼえているのか?

oughta : ought to の口語表現。

> You oughta play a fanfare for me, that would look better on you!

このおれのために ファンファーレでも
吹いてるのが似あっているゾッ!

> I'm not gonna hurt you! That's my last respect to my good rival!

苦痛は 与えん!
それが我が好敵手(ライバル)への最後の礼儀!

Kars

カーズ

> Don't flatter yourself.
> Neither of you will ever see tomorrow.

だが うぬぼれるな……………
きさまらに明日はない……

underestimate：過小評価する

> It looks like Wamuu is serious.
> He's not digging this fight,
> nor underestimating the situation.

ワムウのヤツ 本気だな
決して今……ヤツはこの闘いを
楽しんでいたり 甘くみたりしてはいない!!

> It seems like I'm the last one…
> But there's only just one who
> will get to the top, and that is me!

残るはこのカーズ独りか…
だが頂点に立つ者は常にひとり！

> A strong enemy makes life rich.
> I get it, man.

敵があってこそはりのある人生…
気持ちはわからんでもないがな

I just need to approach slowly
like this and kill you
just like picking flowers!

このカーズは このようにゆっくり
近づき 花をつむように
きさまの命を刈り取るまで!

(JC12巻)

She is a "pawn"!
A "pawn" to put you
in checkmate!

この女は「駒」だ!
きさまをつむ「駒」の一個だ!………

(JC12巻)

Mmmm… I love that voice.
It's a beautiful tone.
I've been waiting to hear you
scream like that, JOJO!

ンンンン いい声だ!
実にいい響きだ…
その絶叫を…聞きたかったぞ JOJO!

(JC12巻)

What!? I'm in outer space!?

宇宙空間だと!

(JC12巻)

DIO

DIO

> Fine… I should say this is a matter of fate.
> My fate to kill them..
> My destiny to liquidate them…
> I've already done what I had to do!

いいだろう……宿命ともいうべきか…か
始末すべき宿命 抹消すべき因縁……
すでに 手は打った!!

> I always believe that "living" is
> all about overcoming "fear".

おれは「恐怖」を克服することが
「生きる」ことだと思う

> The walkway is wide enough…
> Go.

歩道が広いではないか…
行け

> So long to the natural enemies
> that came in and out of my life.

我が運命にあらわれた天敵どもよ さらばだ

Bring it now! Just like flight attendants serving their first-class passengers liquor and caviar.

早く持って来いッ!!
スチュワーデスがファースト・クラスの客に
酒とキャビアをサービスするようにな………

Cars are useful but since everyone drives them, roads get jammed. I'm the only one in a world where time stands still.

思うに自動車という機械は便利なものだが
誰も彼もが乗るから道路が混雑してしまう
止まった時の中はひとり…… このDIOだけだ

I'm as "high" as I can possibly be! Ha ha ha!

最高に「ハイ!」ってやつだアァァァァァ
アハハハハハハハハハーッ

Worthless humans, I'm gonna rule you! Get down on your knees and bow to my "wisdom" and "power"!

とるにたらぬ人間どもよ! 支配してやるぞッ!!
我が「知」と「力」のもとに ひれ伏すがいいぞッ!

Kira

吉良吉影

What "Yoshikage Kira" hates the most is to take "outstanding actions" in front of people. What a drag that I have to make such a fool of myself in front of black strangers.

人前で「目立った行動」をすること…
それは この『吉良吉影』が最も嫌うことだ…
それが赤の他人の前で こんな屈辱の『生きっ恥』をかくとは…

(JC39巻)

Phew! You were destined to lose anyway.

フ～ どちらを攻撃しても………君は……
敗北する運命だったってわけだな…

(JC39巻)

I will "survive"…"Survive" peacefully. Although I have the "nature" that would not allow me to stop killing people, "I will live happily."

わたしは『生きのびる』……平和に『生きのび』てみせる
わたしは人を殺さずにはいられないという『サガ』を
背負ってはいるが………『幸福に生きてみせるぞ！』

(JC39巻)

Don't answer a question
with another question!

質問を質問で返すなあーっ!!

(JC44巻)

I don't need any passionate "joy".
Living a "peaceful life" without
deep "despair" or a life
that is like a "mind of plants"
was supposed to be my goal…

激しい「喜び」はいらない…
そのかわり 深い「絶望」もない………「植物の心」のような人生を…
そんな「平穏な生活」こそ わたしの目標だったのに………

(JC45巻)

漢字の「運」と「命」をばらして英語では説明不可のため意訳。

A combination of two Chinese characters
for the English word "Destiny"
in Japanese signifies "to deliver" "life".
Huh…that's something to remember.

「命」を「運」んで来ると書いて『運命』!
………フフ よくぞ言ったものだ

(JC45巻)

But as I've always known,
I can't forget that "Chances"
will always come at the worst times.

だが…こんな時…忘れてはいけないのは…
こんなヒドイ時にこそ…最悪の時にこそ！ 『チャンス』
というものは訪れるという過去からの教訓だ………

(JC46巻)

Rivals Part 1

スピードワゴン／通行人／ワンチェン

> This man is ready to lose not only his fingers but his legs too! He's strong enough to endure fear and pain!

こいつには指どころか両足だって
失ってもいい覚悟があるッ！
そして恐怖や痛みに耐える精神力がある！

(JC2巻)

> I'm thirsty…
> I don't know why but I'm so thirsty.

か……渇く……
なんか知らねえがよォ……………
渇いて渇いてしょうがねえんだ

(JC2巻)

> I'll lick your blood with my quick tongue. He he he…

ベロベロなめてやるね！
おまえの血を このすばやい舌でなぁ
ヘッヘッヘェ～ッ！

(JC3巻)

切り裂きジャック／タルカス／ブラフォード／ドゥービー

Suffer, you worms!

絶望ォ————に身をよじれィ 虫けらどもォオ———ッ!!

(JC3巻)

There is no way we can turn that down. We have no regrets!

我我に この要求断れるはずなしッ
悔はなし！

(JC3巻)

But I wanted to become one of the massacre elite! I'm just gonna kill with all my power and destroy everything!

だが おれは殺戮のエリートをめざした！
力で殺しまわり 破壊し尽くすだけだッ！

(JC4巻)

I bit you! I bit you! I bit the hell out of you!

噛んじゃった 噛んじゃった！
いっぱいかんでやったぜーッ

(JC4巻)

115

Rivals Part 2

ストレイツォ／サンタナ

> I wanted to bring back youth, even if I had to sacrifice others!

若がえりたいと思った
他人を犠牲にしてでもなッ!

> Dio's mistake was that he tried to enjoy his power.

ディオの失敗は自分のこの能力を
楽しんだことだった!

> Were you the ones who interfered with my sleep!?

キサマラカッ
オレノ眠リヲ邪魔シタノハ!?

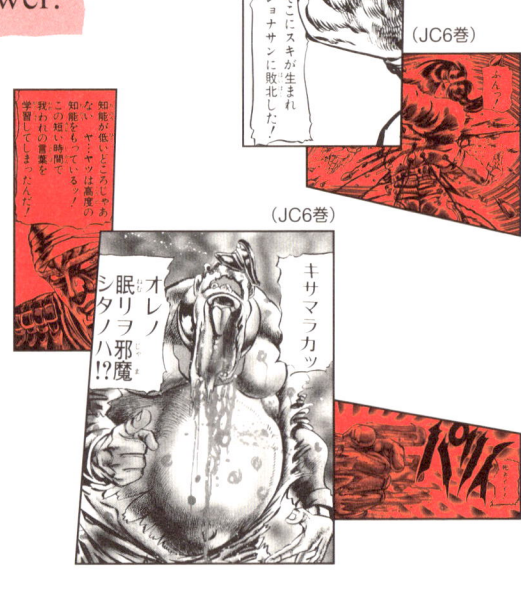

エシディシ

> No….
> That's too much…

う～～ううう あんまりだ…

(JC9巻)

> I cry like a baby when
> I go crazy and lose
> my patience to calm down.

激昂して トチ狂いそうになると
泣きわめいて 頭を冷静にすることにしているのだ

(JC9巻)

> Huh… Looks like you
> have the eye of the tiger.

ほう…鋭い…いい目を
するようになったな…………

(JC8巻)

> I'm surprised…
> I didn't expect to see
> such a strange man in
> such a strange situation.

意外だ………実に意外な場所で
意外な人間に出会ったものだ

(JC8巻)

Wamuu

ワムウ

> The Hamon family people always say the same thing. That's why I laughed.

波紋の一族はいつも同じセリフをはく
（省略）だから笑ったのだ

> Life is short anyway. There is no rush to die.

人間の寿命はどうせ短い
死にいそぐ必要もなかろう

> Don't insult this fight in front of me, JOJO!

おれの前で決闘を侮辱するな！　JOJO！！

> I may have been trying to meet you for some ten thousand years or more.

おれは　おまえに出逢うために
一万数千年もさまよってたのかもしれぬ

Rivals Part 3

花京院典明／灰の塔／黄の節制

> You're standing up…
> But it's sad to say what you're doing now is like being a punching bag. You are standing up just to be punched.

立ちあがる気か…
だが悲しいかな その行動をたとえるなら
ボクサーの前のサンドバッグ…
ただ うたれるだけにのみ 立ちあがったのだ

(JC13巻)

> Master DIO is the one who will master the "Stand"! He has the power to rule them!

DIO様は『スタンド』をきわめるお方！
DIO様は それらに君臨できる力を
持ったお方なのドァ！

(JC14巻)

> My Stand "Yellow Temperance" has no weaknesses!

おれのスタンド「黄の節制(イエローテンパランス)」に弱点はない！

(JC15巻)

ホル・ホース／運命の車輪／鋼入りのダン／死神13

> Well! The end of life is usually a sudden curtain fall.

ま！ 人生の終わりってのは
たいてーの場合 あっけない幕切れよのォー

（JC16巻）

> You guys have literally no "way" out.
> There is no "way" to escape, no "way" to Egypt, and no "way" to the bright future.

おまえらには文字どおり もう「道」はない
逃げ「道」も 助かる「道」も エジプトへの「道」も
輝ける未来への「道」もない

（JC17巻）

> You don't need power to kill a person. Gentlemen, do you understand?

人間を殺すのに 力なんぞいらないのだよ
……………わかるかね諸君！

（JC17巻）

> This overwhelming power!
> This absolute fear!
> It's so much fun!

この圧倒的な強さ！
この絶対的な恐怖
楽しいねェ〜〜〜っ

（JC19巻）

審判／マライア／アレッシー／ダービー兄

> It is when people wish from the bottom of their hearts that all the weaknesses come out.

人間は心の底から願うことに
最大の弱点全てがあらわれる

(JC19巻)

> People can't resist the temptation of touching things you are not supposed to touch.

触れてはいけない物というのは
触れてしまいたくなるものね

(JC21巻)

> So are you ready now?
> I love bullying♥
> I'm rad!

そろそろ いいかな？
弱い者いじめ……大イィィー好きッ♡
オレってえらいネェ──

(JC22巻)

> I consider that gambling is just like a relationship, a relationship where people cheat each other. Whoever cries becomes a loser.

わたしはね 賭けとは人間関係と同じ……
だまし合いの関係と考えています
泣いた人間の敗北なのですよ

(JC23巻)

ボインゴ／ダービー弟／ヌケサク／エンヤ婆

I don't want to live my life
hiding in that box,
being afraid of other people.

あんな箱の下で他人をこわがって
オドオド生きる人生なんてまっぴらです

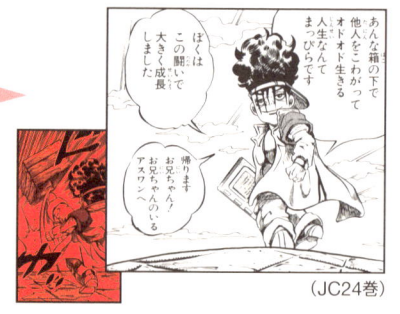

(JC24巻)

Is it going to be both?
By any chance, will that be "Ora-ora"?

り…りょうほーですかあああ〜
もしかしてオラオラですかーッ!?

(JC25巻)

I can't stop laughing my ass off,
and it's just like,
"Serves you right!" & "Refreshing!"

腹の底から「ザマミロ＆スカッとサワヤカ」の
笑いが出てしょうがねーぜッ!

(JC27巻)

Just like you think it's easy
to break a hard pencil into two,
consider it "easy to make
time stand still"!

HBの鉛筆を指でベギッと
へし折れて当然と思う事のように!
『時を止めて当然』と思うことですじゃッ!

(JC28巻)

Rivals Part 4

アクア・ネックレス／虹村形兆／小林玉美

> Watching an egomaniac stuck in the chasm of despair…
> Aaa…makes me feel so good!

いい気になってるやつが絶望の淵に足をつっこむのを見るのは……
ああ〜っ 気分が晴れるぜェェェェ〜ッ

（JC29巻）

> Wouldn't you put the CD back in the case after you finish listening to it, and then, go for the next CD?
> Everyone does that.
> And that's what I am doing.

おまえは一枚のCDを聞き終わったら
キチッとケースにしまってから次のCDを聞くだろう？
誰だって そーする おれもそーする

（JC30巻）

> I'm not doing this just for fun!
> "You gotta pay for your sins."
> That's the social rule!

おれは遊びでやってんじゃねーんだッ！
『罪を犯した者にゃあ つぐないを支払ってもらう』
それが社会のルールってもんだァ〜〜〜っ

（JC31巻）

間田／山岸由花子／トニオ

suck：むかつく　　（JC31巻）

There are two choices for those with different ways of thinking.
One is to "get out of town", saying the town sucks.
The other is to "surrender to the stronger one and live with that."

考え方の違うやつらにゃあよォ
──選ぶべき2つの道があるぜ
ひとつは こんな町 住めるかって「町をおん出ていく道」
そしてもうひとつはッ！
強い者に屈服して生きるっつー道だぜッ！

How dare a little kid like you do this to me! You are mine!
You are my possession,
 and you're trying to come against me!?

このあたしに こんなことしてヒヨッコのくせに！
あんたは あたしのものなのよ！
あたしのものなのに さからうの？

（JC32巻）

Hey, you! You came in here to spy on me!!?

オマエッ！
のぞき見に入って来たというわけデスカァーッ

（JC33巻）

音石明／岸辺露伴／重ちー

> Looking back makes me become strong.

おれは……反省すると強いぜ…

(JC33巻)

(JC35巻)

> I don't have experiences like that too often.
> If I can make full use of it…
> He he he….
> Man, I'm so lucky.
> I'm so glad that I moved here to Morioh town.

こんな体験…めったにできるもんじゃあないよ
これを作品に生かせば…………
グフフフ…
と…得したなあ…………
杜王町に引っ越して来てよかったなあ〜〜……

charity：慈善・施し

> It's a "charity" from me as a friend.

友だちとしての………オラからの……『情け』だよ……

(JC36巻)

> I don't get it. I don't get it.
> I don't get it. I don't get it.
> Oh! Okay! Now I get it!

理解不能　理解不能　理解不能　理解不能
あ…な…なるほど！　理解『可』能

(JC36巻)

辻彩／バイツァ・ダスト／写真のオヤジ／ジャンケン小僧

> If you can follow this important "rule", you'll be able to capture eternal love.

この大切な『心がけ』ができるならば
あなたは永遠に愛を捉える運勢になれますわ

（JC37巻）

> Hey, I'm telling you to look at me here.

オイ……コッチヲ…見ロッテ イッテルンダゼ

（JC38巻）

> It's the opposite, you idiot! The look on my face there is my determination that I will never "let you out" of this house!

逆だッ！　マヌケッ！
そのわしの顔はおまえらをこの屋敷から
絶対に「帰さない」という決意だッ！

（JC39巻）

> I repeat.
> Your luck is running out!

もうイッペン言いますよ………
あんたは今！
『下り坂』にいるンだ！

（JC40巻）

鋼田一豊大／チープ・トリック／エニグマの少年

sayin': saying の略表記

It's like the card game "Old Maid".
It's just the same as "Human society"!
You just have to pass
the "Joker" on to someone else.
You know what I'm sayin'?

(JC43巻)

トランプゲームの「ババヌキ」みたいなものさ
「人間の社会」と同じさ！
「ババ」は自分以外の誰かに持たせりゃあいいんだよ！
ちがうかい？

Now you get it, Rohan Kishibe?
There's no way to get rid of me!

(JC44巻)

これでわかった!?　ねっ!?　岸辺露伴
ぼくを取る方法はないッ！

It's useless to hide your fear.
You can never get rid of the "fear"
rooted deep inside your mind.
Nobody can…

「怖い」という態度や表情を押し隠そうとしてもダメだ
心の奥深いところの「恐怖」って言うのは
それは決して　取り除く事は　できない…
誰だろうとね…

(JC43巻)

127

荒木飛呂彦

1960年6月7日宮城県生まれ。1980年、『週刊少年ジャンプ』(集英社)にて「武装ポーカー」でデビュー。
その後「バオー来訪者」を経て、1987年「ジョジョの奇妙な冒険」を連載開始。
2011年より第8部に相当する「ジョジョリオン」を『ウルトラジャンプ』にて連載中。

マーティ・フリードマン

アメリカ ワシントンD.C.出身。1990年にMEGADETHに加入。後に全世界で1300万枚以上のアルバムセールスを誇るメガバンドへ導き、世界中に熱狂的なファンを持つギタリストとなる。MEGADETH脱退後、2004年に活動の拠点をアメリカから日本・東京へと移す。現在、ギタリスト・作曲家・プロデューサーだけに留まらず、テレビ・ラジオ・CM・映画など様々な角度でマルチアーティストとして活動している。

北浦尚彦

1972年東京生まれ。上智大学外国語学部卒。英語講師、国際コンベンションコーディネーターなどを経て、現在は外国政府系の貿易促進機関に勤務する傍ら英語学習書の執筆を行う。著書「たった3つの動詞で日常会話をしゃべりつくす 英会話瞬換音読トレーニング」(国際語学社)など。

『ジョジョの奇妙な冒険』で英語を学ぶッ!

2014年10月29日　第1刷発行

原　　作　　荒木飛呂彦

監　　修　　マーティ・フリードマン

訳・文　　北浦尚彦

発行者　　加藤潤

発行所　　株式会社　集英社
〒101-8050　東京都千代田区一ツ橋2丁目5番10号
電話　03(3230)6068[編集部]
　　　03(3230)6393[販売部・書店専用]
　　　03(3230)6080[読者係]

印　　刷　　凸版印刷株式会社

製本所　　加藤製本株式会社

Printed in Japan
定価はカバーに表示してあります。

造本には十分注意しておりますが、乱丁・落丁(本のページ順序の間違いや抜け落ち)の場合はお取替えいたします。購入された書店名を明記して、小社読者係宛にお送り下さい。送料は小社負担でお取替えします。但し、古書店で購入したものについてはお取替え出来ません。本書の一部あるいは全部を無断で複写、複製することは、法律で認められた場合を除き、著作権の侵害となります。また、業者など、読者本人以外による本書のデジタル化は、いかなる場合でも一切認められませんのでご注意下さい。

©2014　Hirohiko Araki & LUCKY LAND COMMUNICATIONS／Naohiko Kitaura／Marty Friedman
ISBN 978-4-08-786046-7　C0095

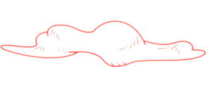